COLLECTION NATHAN-UNIVERSITÉ
CRÉÉE PAR HENRI MITTERAND, PROFESSEUR À L'UNIVERSITÉ DE PARIS III

Série « Études linguistiques et littéraires » dirigée par Henri Mitterand

JEAN JAFFRÉ

Agrégé de Lettres classiques

*Ancien professeur
de Lettres Supérieures
au lycée Victor Duruy*

LE VERS ET LE POÈME

TEXTES, ANALYSES,

MÉTHODES DE TRAVAIL

NATHAN

ISBN 2.09.190003.6
© Éditions Fernand Nathan 1984

AVANT-PROPOS

1. DES USAGES DU TERME « POÉSIE »

Pour commencer, ouvrons un dictionnaire récent à l'article « poésie ». Le principe de la lexicologie actuelle étant de s'appuyer sur un recensement des emplois du terme attestés dans des énoncés effectivement réalisés, la lecture d'une telle définition, en opérant un classement entre les emplois divers en fonction des contextes et des situations, nous fera reconnaître ce que nous faisons quand nous disons : « poésie ».

Définition du *Dictionnaire du français contemporain* (Larousse 1966).

1. Art d'évoquer et de suggérer les sensations, les impressions, les émotions par un emploi particulier de la langue, utilisant les sonorités, les rythmes, les harmonies des mots et des phrases, les images, etc. : *Être sensible à la poésie. La poésie d'Alain-Fournier est faite d'évocations et de souvenirs lyriques.*

2. Texte en vers, généralement court : *Les poésies de Lamartine. Apprendre par cœur une poésie de Verlaine. Une poésie lyrique.*

3. Caractère d'une chose qui parle à l'âme, qui touche le cœur, la sensibilité : *Clair de lune plein de poésie.*

L'articulation de la définition en trois rubriques distinctes correspond à une logique simple qui commande l'ordre de présentation.

3

1. Un art

Le mot désigne d'abord un *art*, c'est-à-dire un travail portant sur un matériau : la langue (comme la sculpture et la peinture travaillent sur des matériaux qui les distinguent et les définissent). La langue étant ainsi posée comme l'objet de travail, la définition privilégie de cet objet, certains aspects particuliers (sonorités, rythmes, harmonies...) ; autrement dit, les différents aspects de la langue étant indissociables, l'intention d'art établirait entre eux une hiérarchie. Enfin, puisque la définition d'un travail, quel qu'il soit, ne peut se dispenser de tenir compte de sa finalité, le but du travail poétique est ici caractérisé par des verbes : *évoquer, suggérer,* assortis de compléments d'objets : *sensations, impressions, émotions ;* le choix de ces termes implique qu'on fait une sélection dans l'ensemble des fonctions possibles de la parole : on comprend qu'il ne s'agit pas, par exemple, de communiquer seulement des informations, de raconter, d'expliquer des phénomènes, d'exposer des arguments, etc.

2. Un texte

Ce deuxième sens découle du précédent par une opération logique simple, et fréquente dans la vie des mots : on passe de l'acte de produire (le verbe grec *poieīn*, « fabriquer », et le nom *poièsis*, « l'acte de fabriquer ») au résultat : un *texte*. Le passage est linguistiquement marqué par une modification de l'article de présentation : *une* poésie, *des* poésies, *les* poésies de... Cette modification introduit la notion d'unité, de nombre, de singulier et de pluriel, qui ne peut s'attacher qu'à la désignation d'objets finis présentant des traits identiques et différents. D'après les exemples cités, le déterminant le plus couramment associé, dans ce cas, serait un nom propre : le produit est ainsi relié à son producteur, c'est-à-dire à l'auteur dont la notoriété sert de garantie. La définition se croit tenue d'ajouter des précisions restrictives : « en vers, généralement court ». (Le sens de ces restrictions sera étudié plus loin.)

3. Caractère d'une chose

Le sens 3 découle d'un autre glissement qui nous transporte du domaine strictement limité à la langue et aux productions littéraires à celui des *choses*. Le cheminement de cette extension est facile à reconstituer : si la poésie vise à « suggérer des impressions, des émotions..., » la qualification de « poétique » tend naturellement à s'appliquer aux impressions et aux émotions, et de là aux choses elles-mêmes, dans lesquelles on situe les qualités qui seraient la source de ces émotions. Cette confusion des mots et des choses est particulièrement fréquente quand il s'agit de noms, tels que « clair-de-lune » ou « soleils-couchants », etc., qui désignent des spectacles naturels, propres à impressionner l'imagination. Les étapes de cet itinéraire étaient clairement tracées dans la définition de Littré (1863) : après « art de faire des ouvrages en vers », on y trouve : « *qualités* qui caractérisent les bons vers et *qui peuvent se trouver ailleurs que* dans les vers » ; et enfin « se dit de tout ce qu'il y a d'élevé et de touchant dans une œuvre d'art, dans le caractère ou la beauté d'une personne et *même dans une production naturelle* ».

L'ordre de classement des trois parties de la définition s'appuie donc sur le schéma logique suivant : 1) le travail ; 2) le produit du travail ; 3) les effets et les qualités inhérentes à ce produit.

Or ce principe de classement coïncide avec un autre que nous appellerons : la distinction de *trois niveaux d'utilisation sociale* du terme « poésie ».

a. Niveau savant

Le premier est le niveau *savant,* celui du *spécialiste.* Nous sommes placés du point de vue du producteur lui-même, de l'artiste, confronté à des problèmes techniques pour construire son objet, conscient des effets à produire. Le lecteur est censé connaître, ou invité à connaître, les composantes de la langue, leur fonctionnement, leur interaction. Ce point de vue reflète l'état actuel des sciences du langage, implique une définition de la « fonction poétique » du langage (Jakobson). Nous sommes au-delà des définitions antérieures, qui réduisaient la poésie à l'art de faire des vers : la référence au vers est absente.

b. Niveau scolaire

Le second usage semble lié au milieu scolaire, à la fonction que tiennent (ou qu'ont tenu pendant longtemps) les textes des poètes dans les exercices pédagogiques, à la présentation que nous en offrent les manuels de littérature où nous en prenons connaissance — classés par auteurs ou par genres. Il montre la persistance, dans le parler courant, d'une idée partielle de la poésie qu'ont fixée les méthodes d'enseignement. Si, en effet, *une* poésie représente encore pour un locuteur ordinaire un texte « en vers » (alors que cette référence a disparu du discours des gens « compétents » — sens 1), et « généralement court » (alors qu'on peut multiplier les preuves du contraire), c'est que le terme reste associé dans sa mémoire à l'exercice de récitation (« apprendre par cœur une poésie »), pour lequel on a sélectionné des textes offrant des facilités mnémotechniques[1].

c. Sens banalisé.

Le troisième sens appartient au niveau le plus banalisé, celui de la plus grande extension, extra-linguistique, extra-scolaire. Sans doute témoigne-t-il d'un prestige diffus du « poète », encore répandu en des lieux, des milieux, des situations, dont les rapports avec ce qu'il fait, la « poésie »

---

1. D'après une enquête faite en 1972 auprès d'instituteurs participant à des stages de recyclage, 65 % d'entre eux disaient ne pas faire de différence entre poésie et récitation à l'école, et parmi les adolescents, la poésie était « ce qu'on apprend par cœur », « ce qui rime ». (Cité d'après la revue *Action poétique*, n° 62, 1975, « La poésie et l'enseignement ».)

proprement dite, peuvent être très lointains. L'appropriation du terme semble être devenue ordinaire dans la première moitié du XIXᵉ siècle. Balzac en fait déjà un usage courant : « Un terrible *poème de sentiments* tombés comme un orage dans le cœur de Calyste et qui devait aller en tourbillonnant dans un autre effraya la baronne » (*Béatrix*, 1839). Il est vraisemblable que cette banalisation d'un terme « littéraire », qui ne désigne plus dans ces phrases qu'un afflux d'émotions confuses, vaguement idéalisées, a été favorisée par la grande diffusion des « romans ». Flaubert, quant à lui, moins de 20 ans plus tard (*Madame Bovary,* 1857) enregistre sa fixation dans certaines formules stéréotypées, que de jeunes provinciaux se plaisent à placer dans des conversations pour se montrer au niveau des modes parisiennes : <u>Emma :</u> « Je ne trouve rien d'admirable comme les soleils couchants, au bord de la mer, surtout. » <u>Léon :</u> « J'ai un cousin qui a voyagé en Suisse l'année dernière et qui me disait qu'on ne peut se figurer la *poésie* des lacs, le *charme* des cascades, l'*effet* gigantesque des glaciers. » Dans l'énumération, les termes en italiques se présentent comme équivalents.

2. DÉFINITION DES OBJECTIFS DE L'OUVRAGE

● **Conséquences pédagogiques :** Ayant soumis à cette analyse critique, non pas — répétons-le — le dictionnaire (car c'est lui qui l'a rendue possible), mais nos propres façons de parler, dont il a le mérite de dévoiler les principes, nous sommes mieux armés pour mesurer les difficultés qui nous attendent. Un mot draine dans son sillage tout un passé que son utilisateur peut innocemment ignorer, alors qu'il détermine à son insu l'orientation de sa pensée. Le mot « poésie » a tout un passé littéraire, mythique et scolaire, qu'il est nécessaire de connaître.

Dans l'ensemble des discours — critiques, scolaires — qui ont la poésie pour objet, chacun peut vérifier que, d'une façon ou d'une autre, le troisième sens de la définition a une tendance irrépressible à se mêler au premier, à occuper pour lui seul le premier plan, à envahir le propos, à repousser le sens premier dans les arrière-plans. Nous sommes, en effet, du côté du récepteur, de celui qui subit l'effet et le charme, et notre penchant immédiat nous pousse à parler complaisamment de ce charme qui nous entraîne ; or c'est le sens premier qui seul peut nous orienter vers une pédagogie de recherche et de réflexion, nous permettre d'élaborer des méthodes de travail sur les textes.

Depuis des générations, nous n'avons guère appris qu'à parler des sentiments des poètes — qu'ils ont en commun avec beaucoup de monde, et qui ne leur confère pas véritablement l'appellation de « poète ». La persistance de cet état de choses est la résultante de plusieurs raisons conjuguées. Une mythologie — ancienne, mais vivace — du poète et de l'artiste fait que tout propos les concernant tourne à l'acte de célébration. La fondation des « études littéraires » a répondu à un projet politique : constituer un « panthéon » des gloires nationales, parmi lesquelles on a laissé une place aux « grands » auteurs à côté des généraux et des présidents de la République, monuments du génie national. Leur biographie sert de référence exemplaire : à elle doit être ramené, à tout instant, le commentaire sur le texte. Cette naissance a coïncidé avec l'influence romantique, à l'époque où tend à se fixer l'équation : poésie = sentiments. Enfin, dans l'état actuel des études de français, la part accordée à la linguistique reste minime ; on n'enseigne pas à considérer le langage, la langue, le discours, les textes, comme des objets de réflexion, et cette négligence laisse le champ libre à toutes les confusions.

Nous ne sommes pas sortis de ce cadre d'enseignement qui porte un intérêt exclusif, selon les mots de Paul Valéry à une littérature « qui a la Littérature même pour décor et les auteurs pour ses personnages... mais qui me laisse dans l'ignorance de ce qu'est une *Phrase*... un *Vers*... un *Rythme*... une *Consonne*, etc. » (Paul Valéry, « Propos sur la poésie », *Variété*, 1927).

Nous n'avons pas d'autre prétention dans ce livre que de combler ces lacunes.

PREMIÈRE PARTIE

La versification : du vers au poème

CHAPITRE I

POÉSIE ET VERSIFICATION

1. MUSIQUE ET POÉSIE

On sait le prestige que la musique exerce sur les poètes :

Verlaine : « De la musique avant toute chose... » *(Jadis et Naguère).*

Aragon : « La poésie, c'est le chant, ce qui est proprement la poésie » *(Chroniques du Bel Canto).*

T.S. Éliot : « Un poème « musical » est un poème qui a un dessin sonore musical, en même temps qu'un dessin musical des sens secondaires des mots qui le composent, et ces deux dessins ne font qu'un » *(De la poésie et de quelques poètes).*

Ezra Pound : « Le mauvais poète fait de la mauvaise poésie parce qu'il ne perçoit pas les relations de temps. Il est incapable d'en *jouer* de manière intéressante, par le moyen des brèves et des longues, des syllabes dures ou « molles », et des diverses qualités du son qui sont inséparables des mots de son discours » *(L'A.B.C. de la lecture).*

Pour le linguiste Roman Jakobson, « la *fonction poétique,* qui met en évidence *le côté palpable des signes,* approfondit par là même la dichotomie fondamentale des signes et des objets » *(Linguistique et poétique),* c'est-à-dire qu'elle met l'accent sur les propriétés sensibles, sonores du langage.

Le phonéticien Pierre Delattre conclut ainsi une étude des attributs physiques de la parole : « Dans ces modulations de fréquence, d'intensité et de « tempo », la langue française offre au poète un *jeu* exceptionnellement riche de moyens d'expression ». (*Revue d'esthétique,* n°s 3-4, 1965.)

Le poète serait donc une sorte de *musicien,* qui prendrait sa langue pour *instrument* : rien de plus nécessaire, par conséquent, que de commencer par l'étude du fonctionnement sonore de cet instrument en se familiarisant avec la terminologie et les définitions qui rendent cette description possible.

2. LA PROSODIE

D'après l'étymologie grecque : « parole accordée à la musique ou chant accordé à un instrument ». Ce sens originel persiste dans le langage spécialisé des musicologues : il s'agit des règles nécessaires pour appliquer une musique à des paroles, ou inversement (ex. : « prosodie musicale »).

Le linguiste appelle « prosodie » — plus précisément « faits ou aspects prosodiques de la langue » — ce qui a été traditionnellement défini, par les grammairiens grecs, comme désignant : « indépendamment de l'articulation essentielle, toute particularité acoustique du débit : à savoir l'intonation, l'aspiration, la quantité même » (*Lexique* de Marouzeau). André Martinet y fait entrer « tous les faits de parole qui n'entrent pas dans le cadre phonématique, c'est-à-dire qui échappent d'une façon ou d'une autre, à la seconde articulation ». Ils sont caractérisés *non par leur présence ou absence,* comme les unités phoniques, en des points déterminés de la chaîne sonore, *mais par leur présence constante,* « puisque ce sont des aspects physiques, inéluctables de la parole », — ce qui les fait qualifier, du point de vue de son projet de linguiste, de « suprasegmentaux, d'accessoires, de marginaux, non centraux, non nécessaires à la définition spécifique de toutes les langues humaines ». (*Éléments de linguistique générale,* éd. Armand Colin 1960, p. 83.)

Cette caractérisation est négative (tout ce qui *n'*entre *pas...* échappe à... *non* centraux... *non* nécessaires à la définition, etc.), parce que le linguiste cherche à circonscrire son domaine, la « langue », en excluant tout ce qui a trait au mode de liaison des unités distinctives dans l'organisation de la durée, à l'élaboration d'un rythme.

Au contraire, la prosodie *intéresse en priorité le travail poétique,* précisément parce que « les propriétés dites prosodiques se distinguent des qualités inhérentes aux phonèmes par le fait qu'elles opèrent sur l'axe des successivités. Ce sont toujours des relations fondées sur la ligne du temps, sur l'enchaînement des unités successives » (R. Jakobson, *Six leçons sur le son et le sens,* 1942-1943, p. 111). C'est dire, en effet, que leur organisation est déterminante dans la perspective du rythme, lequel se déploie exclusivement « sur la ligne du temps ».

3. ASPECTS PROSODIQUES DE LA LANGUE FRANÇAISE

1. L'accent, l'intonation, les groupes accentuels (ou d'intonation)

Le mouvement prosodique est orienté vers la pose de l'accent d'intonation (= acte de placer le ton) : cet accent est toujours repoussé, en français, sur la voyelle de la syllabe finale d'un groupe syntaxique, et coïncide, par conséquent, avec une terminaison de sens partielle (accent secondaire) ou définitive (accent principal). Cette suspension de l'attente, plus ou moins prolongée, crée une tension, et détermine une montée de la voix qui s'achève sur une inflexion déclinante au point final du segment. C'est donc à cet accent, qui sert, par anticipation, de point de mire au mouvement dynamique, que revient la fonction d'assurer la cohésion sensible des constituants sonores qui fait l'unité de sens, et, dans une unité complexe formée de plusieurs segments partiels, de démarquer les *temps forts* (par opposition aux temps faibles, non marqués), et de distribuer dans le temps les *crêtes d'intonation* (points culminants de la voix) et les pauses. L'accentuation a donc une fonction rythmique déterminante : en marquant chaque limite de groupe par un temps fort et une pause, elle fait porter l'insistance sur leurs rapports réciproques et leur répartition dans la durée ; elle rend sensible l'ordre dans le mouvement qui est au principe du rythme.

2. Un exemple :

$$\acute{je}\text{-}v\breve{a}is\text{-}\breve{a}\text{-}l\breve{a}\text{-}g\tilde{a}r(e)$$

La syllabe finale porte l'accent, et sa durée (quantité) s'allonge. La voix monte progressivement, d'une syllabe à l'autre, jusqu'à la « note » la plus haute, la dernière étant marquée par une légère inflexion. Le mouvement mélodique repose sur la distinction entre une suite de temps brefs non marqués, et le temps fort final.

Ainsi, Paul Claudel peut dire que le français « est composé d'une série de « iambes » (pied gréco-latin composé d'une unité brève suivie d'une unité longue accentuée : $\smile\acute{-}$), dont l'élément long est la dernière syllabe, et l'élément bref un nombre indéterminé, pouvant aller jusqu'à 5 ou 6 syllabes indifférentes qui la précèdent » *(Réflexions sur le vers français)*.

$$[(\; \breve{1} \quad \breve{2} \quad \breve{3}... \quad \breve{4}\,\acute{5}) \qquad]$$

Si je prolonge l'énoncé :

$$\breve{je}\text{-}v\breve{a}is\text{-}\breve{a}\text{-}l\breve{a}\text{-}g\acute{a}r(e)\text{-}d\breve{u}\text{-}N\tilde{o}rd,$$

la loi prosodique impose le report de l'accent sur la finale ; cette prolongation exige un plus grand effort de tenue de la voix lié à la rétention du souffle. La voix peut se réserver un point relais sur *gâr*(e), qui garde ainsi un accent secondaire, appui nécessaire à une relance du mouvement intonatoire prolongé.

Lorsque la séquence excède la limite d'un énoncé simple, la mélodie monte d'abord jusqu'à un sommet (crête d'intonation), pour décroître symétriquement jusqu'à la conclusion. Tout se passe comme si la première phase montante impliquait une question, à laquelle la seconde, symétriquement descendante, apportait la réponse attendue :

Exemple : *Jĕ vă̆is ă̆ lă̆ gă̆re dŭ̆ Nŏ̆rd, j'y̆ ă̆i lă̆issĕ́ mă̆ vŏ̆iturĕ ă̆u pă̆rking.*

Il semble que le système de versification qui a prévalu dans la poésie française, couplant les vers par la rime, repose dans son principe sur cette loi fondamentale de l'intonation :

Exemple : *Jĕ̆ dĕ̆mĕ̆ură̆i lŏ̆ngtemps ĕ̆rră̆nt dăns Cĕ́să̆rĕ́ĕ́,*

       Lĭ̆ĕux chă̆rmă̆nts ŏ̆ŭ mŏ̆n cœur vŏ̆us ă̆vă̆it ă̆dŏ̆rĕ́ĕ́.

Racine, Bérénice.

Les deux vers associés par la rime, forment du point de vue mélodique, un couple composé d'une phase à tendance ascendante, et d'une phase progressivement descendante qui lui succède : et la résolution logique de ce couplage se réalise dans l'association, à la rime, du nom de lieu « Césarée » avec le participe-adjectif « adorée ».

« C'est, remarque Paul Claudel, sur ce couple alterné d'une proposition et d'une réponse que reposait jusqu'à ces derniers temps toute la prosodie française » *(ibid.).*

En résumé, la place de l'accent d'intonation dans une unité de séquence (une proposition, un vers), la répartition relative des mêmes accents dans un ensemble de plusieurs unités (une phrase complexe, une strophe), déterminent le *mouvement* de la parole, dans lequel s'harmonisent simultanément : le fractionnement concerté du temps, l'ordre des variations mélodiques, — le tout intimement lié à la logique du sens puisque l'accent tombe inévitablement sur la syllabe ultime d'un fragment syntaxique, dont il marque la conclusion.

---

4. L'UNITÉ SYLLABIQUE

A l'intérieur d'un groupe, précédemment défini par une certaine unité accentuelle et mélodique, le déroulement musical de la parole s'effectue par la succession d'unités de base : les syllabes. Elles jouent un peu le rôle des notes en musique : si le ton monte ou descend, c'est dans le passage d'une syllabe à l'autre. La différence essentielle, c'est que la syllabe est une unité articulatoire et vocale bien plus complexe que la note : cela tient à la complexité de notre appareil vocal, où l'on distingue d'une part les vibrations des cordes vocales, d'autre part une grande diversité dans la succession des gestes musculaires et articulatoires (explosion, frottement, etc.), dont le point d'articulation ne cesse de changer (lèvres, dents, palais, glotte, etc.), modifiant, en particulier par les mouvements de la langue, la forme et le volume des cavités buccales qui produisent la résonance.

1. Définition

Le linguiste Roman Jakobson définit ainsi la syllabe : « la cellule constructive de base dans la séquence parlée », ou encore : « le schème élémentaire gouvernant tout groupement de phonèmes ». « Toute séquence est basée sur la récurrence régulière de ce modèle constructif » (*Essais de linguistique générale*, p. 119). Il en résulte qu'on peut définir la syllabe comme « unité rythmique composée de sons compactement unis... il y a division syllabique (c'est-à-dire passage d'une unité à la suivante) là où deux phonèmes successifs ne sont pas compactement unis »[1].

Cela revient à dire que toute séquence se ramène à un nombre entier de syllabes (c'est la base du vers syllabique français).

2. Variétés

La voyelle pouvant être réalisée sans consonne d'appui et même, constituer à elle seule un mot *(à, en, on)*, elle peut donc constituer une syllabe à part entière ; par contre, la consonne ne se présente jamais seule. La présence d'une voyelle est donc l'indice indiscutable de l'unité syllabique ; elle ne peut figurer deux fois dans le même groupe syllabique. On peut donc rencontrer 4 types de syllabes : CV, CVC, V, VC.

1 - *me, la, rat.* 2 - *coq, rapt, net.* 3 - *à, en, on.* 4 - *art, arc, herbe.*

Il faut préciser que les types 3 et 4 ne peuvent se présenter qu'en début de séquence : par exemple, dans un vers, à la syllabe initiale ou après une pause forte. Ceci parce qu'à l'intérieur d'un groupe accentuel, toute voyelle initiale d'un mot ou constituant à elle seule un mot, est spontanément reliée à la consonne finale du mot précédent qui devient sa consonne d'appui pour reconstituer le groupe CV. Par exemple, dans l'énoncé précédemment cité : on prononce : je-vai-*za*-la-gare. Mais, dans le vers de Corneille : « *En*fin vous l'emportez, *et* la faveur du Roi... », on ne fait pas la liaison à la césure, et les deux parties du vers ont des initiales vocaliques ; c'est même cette particularité qui signale ici à l'auditeur la fonction rythmique de ces deux syllabes dans la séparation des segments.

3. Fonctionnement interne

Si l'on examine concrètement le fonctionnement interne d'une syllabe du type CV, on constate que son unité repose sur une opposition

---

1. Pierre Delattre, *Revue d'esthétique.*

(changement/stabilité ; mouvement/immobilité) : toute consonne est perçue par des *changements* dans le déroulement musical de la parole, toute voyelle par des *portions stables*[1]. En d'autres termes, une partie *nucléaire* contrastant avec les parties *marginales,* comme la crête avec les creux, la crête étant constituée par des voyelles (Jakobson, *ouvr. cité*).

Cette dualité de la syllabe a des conséquences sur le déroulement musical qu'il importe de bien connaître si l'on veut se livrer à une analyse pertinente d'un vers, d'une strophe, d'un texte poétique :

4. Consonnes

Le rôle des consonnes, de l'attaque consonantique, de l'allitération consonantique, est fondamental dans la construction et le rythme. Ainsi dans le vers de Hugo : « Et de *V*agues sans trê*v*e et sans *F*in remuées », la triple allitération *v-v-f* forme l'armature ternaire du rythme. La répétition entraîne un renforcement progressif de l'intensité de la consonne qui se concrétise finalement dans la substitution à la variante faible/sonore *v* de la variante forte/sourde *f ;* le /v/ de « trêve » a une double fonction, à la césure : fermeture de la partie initiale du vers, et par liaison ouverture de la seconde.

D'autre part, étant donné le rôle de la consonne, en tant qu'élément dynamique du changement, la vérification expérimentale a permis d'énoncer la loi suivante : « *Plus le tempo du changement est rapide plus le segment est consonantique.*[2] »

5. Voyelles

C'est la voyelle, c'est-à-dire la portion stable de la syllabe, qui porte les traits prosodiques liés aux qualités physiques du son : fréquence, intensité, durée. La *fréquence,* mesurable en nombre de vibrations par seconde, est perçue en différence de hauteur (la voyelle /i/ est de tonalité plus haute que /a/, plus grave). L'*intensité,* mesurable en décibels, concerne le degré d'amplitude des ondes : elle est relative à l'énergie investie par le locuteur dans la prononciation, et perceptible à l'audition par comparaison d'une syllabe forte avec les unités plus faibles qui l'entourent. La *durée* (ou *quantité*) se mesure en centièmes de seconde, elle est relativement évaluée dans la comparaison des syllabes entre elles.

Les traits d'intensité et de quantité coïncident et se renforcent sur une syllabe portant l'accent : la syllabe marquée est celle dont la portion vocalique est, par comparaison, la plus longue.

---

1. Pierre Delattre, *Revue d'esthétique*.
2. Pierre Delattre, *ibid.*

5. LES PHONÈMES DU FRANÇAIS

Les phonèmes

Le schéma syllabique constitue donc le modèle d'encadrement rythmique (lui-même intégré dans les groupements accentuels), dans lequel s'intègre nécessairement la succession des unités que l'oreille peut distinguer : les phonèmes. Ils forment la substance physique, la matérialité sonore et fournissent le corps sensible dans lequel s'effectuent les modifications successives de volume, de hauteur, et de durée. Toute analyse exige par conséquent la connaissance détaillée du système phonologique de la langue, dont nous présentons ci-contre le tableau ; ce tableau est l'outil indispensable de notre travail. Pour corriger les fantaisies orthographiques que la tradition lettrée a accumulées et qui brouillent la lecture des sons, il faut utiliser la notation phonétique internationale.

6. LECTURE DU TABLEAU

Les phonèmes sont caractérisés :

1. Par le *lieu d'articulation* : il y a des voyelles d'avant (antérieures) comme /i/, ou d'arrière (postérieures) comme /a/ ; même mouvement pour les consonnes : depuis les labiales (p b m) jusqu'aux vélaires (k g R).

La liaison des mouvements dans une articulation suivie peut donc être particulièrement tendue dans le passage d'une position extrême à l'autre, ou graduée par des positions de transition.

2. Pour les voyelles, par la *position des lèvres* (arrondies, non arrondies), et le degré relatif d'ouverture ou de fermeture du canal vocal. Par rapport à /a/ (voyelle basse, lèvres écartées...) la voyelle /i/ est la note la plus haute, elle possède le timbre le plus aigu, l'articulation la plus tendue.

3. Pour les consonnes, s'ajoute la *distinction des bruits* qui en accompagnent la production : friction pour /f/ et /v/, occlusion pour /p/ /b/ /t/ et /d/ ; et celle des sourdes (p t f) et sonores (b d v), selon que la fermeture est plus ou moins complète et laisse plus ou moins passer le son.

A ces considérations sommaires, il convient d'ajouter ceci : à l'intérieur d'une même syllabe se produisent des *phénomènes d'interférence* qui ont des effets prosodiques sur la quantité et le timbre de la voyelle :

a) La différence de longueur ne fait que renforcer la variation de timbres entre, par exemple ; s*o*tte /ɔ/ ([sɔt])... et s*au*te /o/ ([sōt]).

b) Une voyelle accentuée est d'autant plus longue devant les 4 consonnes suivantes : /ʀ/ *tire*, /z/ *grise*, /ʒ/ *tige*, /v/ *vive*, /vʀ/ *vivre*.

On peut même constater, en comparant *vive* et *vivre,* que la double consonne accentue l'allongement de la voyelle antécédente.

D'autre part, ces mêmes consonnes en position finale ont des effets sur le timbre de la voyelle précédente : /i/ est plus fermé, tendu, *aigu* dans « l*i*re » ou « l*i*se » que dans « l*i*t » ; tandis que /a/ est plus ouvert, plus *grave* (bas) dans « *â*ge » ou « l*a*ve » que dans « l*a*s ».

Une nasale accentuée est plus *longue* devant une consonne : comparer « *r*ond » et « *r*onde », « *l*ong » et « *l*ongue ».

7. TABLEAU DES 16 VOYELLES DU FRANÇAIS D'APRÈS LEUR POINT D'ARTICULATION

	ANTÉRIEURES	MÉDIANES	POSTÉRIEURES
	non ARRONDIES	ARRONDIES	
Orales	/i/ (l*i*t) /e/ (d*é*) /ɛ/ (f*ai*t) /a/ (s*a*lle)	/y/ (v*u*) /ø/ (f*eu*) /ə/ (m*e*ner) /œ/ (s*eu*l)	/u/ (f*ou*) /o/ (b*eau*) /ɔ/ (n*o*te) /ɑ/ (b*a*s, p*â*le)
Nasales	/ɛ̃/ (f*aim*)	/œ̃/ (br*un*)	/õ/ (b*on*) /ɑ̃/ (bl*anc*)

8. TABLEAU DES CONSONNES D'APRÈS LEUR MODE D'ARTICULATION ET LEUR LIEU D'ARTICULATION

			LIEU D'ARTICULATION					
			bilabiales	labio-dentale	dentales	alvéolaires	palatales	vélaires
MODE D'ARTICULATION	occlusives	Orales	/p/ /b/		/t/ /d/			/k/ /g/
		Nasales	/m/		/n/		ɲ (vi*gn*e)	
	constrictives	Médianes		/f/ /v/	/s/ /z/ (*os*e)	/ʃ/ (*ch*ou) /ʒ/ (*j*oue)	/j/ (*y*eux) (œ*il*)	
		Latérales				/l/ (*l*as)		
		Médianes Battements						/ʀ/ /r/
	semi-consonnes arrondies		/ɥ/ (h*u*ile) bilabiopalatale /w/ (*ou*i) bilabiovélaire					

Conclusion

La connaissance de la prosodie et de la phonologie de notre langue est indispensable pour nous réapprendre à l'*écouter,* car ces aspects liés à la réalisation effective de la parole sont largement automatisés par l'habitude, dès notre enfance.

D'autre part, l'enseignement de la langue, dès l'école élémentaire, orienté vers l'écriture, les néglige totalement. La transcription de la parole, à la différence de la partition musicale, est fondée sur l'exclusion de tout ce qui concerne le mouvement, le rythme, la mélodie, tous les aspects physiques du fonctionnement linguistique. Elle s'appuie sur l'alphabet — et chacun sait qu'en français, l'orthographe comprend une quantité notable de lettres qui ne correspondent à aucun son. Elle sépare les « mots » : or, dans la diction réelle, l'article, par exemple, n'est pas séparé du nom, ni le groupe-sujet du verbe ; les blancs de la typographie n'ont qu'une fonction grammaticale et non rythmique, ils ne correspondent pas à des pauses ou des silences effectifs.

Cette situation de *divorce entre l'oral et l'écrit* nous impose, par nécessité pédagogique, de surcharger le texte, tel qu'il nous est présenté dans la typographie, pour compenser ses insuffisances. Il s'agit de marquer l'accent, la répartition rythmique, la différenciation des brèves et des longues, des phases ascendantes et déclinantes ; bref, de retranscrire le texte dans un autre système de notations.

Toutes les particularités de présentation des textes poétiques : vers et strophes, grandes marges blanches, régulation des retours d'accents et de rimes, etc., ne sont pas sans rapport avec la préoccupation de suggérer une autre lecture. Ainsi Mallarmé, dans sa préface à *Un coup de dés jamais n'abolira le hasard* (1897), ne prétend à rien d'autre comme nouveauté « qu'un espacement de la lecture », « une mobilité de l'écrit ».

Il faut ajouter ceci : la parole est intimement liée au corps, et la part de l'*interprétation personnelle* dans la diction d'un texte reste importante. Il en est ainsi en musique, de la part de l'instrumentiste, malgré la précision et le caractère impératif des indications de la partition. Quoique dans une langue donnée, l'intonation ne soit pas libre, l'intention ou l'émotion du diseur peut choisir, pour poser la plus haute montée de la voix, n'importe quelle syllabe d'un groupe, même initiale ou seconde. « Toute émotion crée une suraccentuation » (André Spire, *Plaisir esthétique et plaisir musculaire*). De même : « Chaque lecteur a son régime de diction, son tempo. Ses syllabes n'ont pas la même durée que celle des autres lecteurs, mais, si la longue de l'un a par exemple 25 cs et la longue de l'autre 42 cs », il y a « tendance à l'établissement d'un régime constant de rapports entre les brèves et les longues de chacun d'eux et les brèves du second auront tendance à durer plus longtemps que les brèves du premier » *(id.).* Toute comparaison entre deux interprétations du même poème par deux acteurs permet de confirmer qu'à partir d'un texte donné, et compte tenu des règles générales de la prosodie, il reste une marge d'initiative non négligeable pour la diction d'un poème.

BIBLIOGRAPHIE I

Louis Aragon. — *Chroniques du Bel Canto,* Albert Skira, Genève, 1947.

Paul Claudel. — *Réflexions sur la poésie,* NRF Gallimard, coll. Idées, 1925-1963 (« réflexions et propositions sur le vers français », p. 7 à 20).

Pierre Delattre. — « Les attributs physiques de la parole et l'esthétique du français », *Revue d'esthétique,* nos 3-4, 1965.

Roman Jakobson. — *Essais de linguistique générale,* éd. de Minuit, 1963. Ch. vi Phonologie et phonétique, p. 119 et sq. Ch. xi Linguistique et poétique, p. 209 et sq. *Six leçons sur le son et le sens,* éd. de Minuit, 1976. *Dialogues* (avec Kristyna Ponorska), éd. Flammarion, 1980.

Bertil Malmberg. — *Phonétique française,* éd. Hermods-Malmö, 1969.

André Martinet. — *Éléments de linguistique générale,* Armand Colin, 1970-1973.

Henri Meschonnic. — *Pour la Poétique,* NRF Gallimard, 1970 (« L'espace poétique », p. 63-97).

Georges Mounin. — *Clefs pour la linguistique,* éd. Seghers, 1968-1971 (« La phonologie », p. 98-119 ; « Règles de transcription », p. 44-48 ; « Les faits linguistiques marginaux », p. 63-97).

Ezra Pound. — *A.B.C. de la lecture,* NRF Gallimard, coll. Idées, 1967.

André Spire. — *Plaisir poétique et plaisir musculaire,* éd. Corti, Paris, 1949.

Paul Valéry. — *Œuvres,* Pléiade, Tome I. « Questions de poésie », p. 1280 ; « Propos sur la poésie », p. 1361 ; « Nécessité de la poésie », p. 1378.

EXERCICE D'APPLICATION : analyse comparée de deux vers du point de vue strictement prosodique/rythmique

Le travail d'analyse qui suit a pour objet de mettre en application ce que nous avons appris au chapitre précédent du fonctionnement prosodique du français. Nous nous proposons de procéder à une étude comparée, du point de vue phono-rythmique, de deux vers (alexandrins). Le choix est arbitraire. Isoler un vers de son contexte est un cas limite, dont nous prenons provisoirement la responsabilité en vue d'un exercice pédagogique préparatoire. Un vers n'est jamais que l'élément d'un ensemble, son dynamisme propre est fonction d'un mouvement plus général qui anime cet ensemble ; nous ne pourrons que partiellement tenir compte de ces facteurs contextuels.

La comparaison confronte un vers de La Fontaine et un autre de Baudelaire : ils témoignent de deux époques éloignées dans le temps (l'époque « classique », la génération « post-romantique »), de deux conceptions différentes de la « poésie », et appartiennent à deux registres distincts.

1. SYNTAXE ET RYTHME

1. Considérons d'abord le vers de Baudelaire :

« *Surgir du fond des eaux le Regret souriant* »

C'est le 3ᵉ vers du 1ᵉʳ tercet du sonnet « Recueillement » des *Fleurs du Mal* (XCI, « Spleen et Idéal », 1861). L'énoncé qui le compose fait partie d'un ensemble syntaxique de trois propositions à l'infinitif rattachées comme compléments au même verbe :

...Vois se pencher les défuntes Années,
Sur les balcons du ciel, en robes surannées ;
Surgir du fond des eaux le Regret souriant ;
...
Le Soleil moribond s'endormir sous une arche,

L'inversion de l'ordre d'apparition des trois constituants syntaxiques (Verbe + Complément + Sujet) renforce les points d'articulation (pauses avec allongement syllabique et accent), qui délimitent, aux temps marqués, les frontières des trois groupes d'intonation, répartissant la durée de réalisation du vers sur 3 segments successifs. Le renforcement des articulations met l'accent sur la gradation, progressive et nettement proportionnée, de l'allongement de chaque fraction du temps d'expiration.

	I verbe	II complément	III sujet
groupes syntaxiques :	surgir	du fond des eaux	le Regret souriant
groupes rythmiques :	2	4 (2 × 2)	6 (3 × 2)

(Le signe ' note l'accent sur la voyelle longue ⁻ ; son redoublement " signale un accent relativement renforcé à la césure, et à la rime.)

Le fractionnement de la durée a pour base et condition de possibilité le fait que le rythme verbal est naturellement syllabique, et que le vers alexandrin a fixé comme cadre une série de 12 unités. La combinaison ici retenue est l'une de celles que permet le nombre 12 = 2 + 4 + 6.

Mais l'arithmétique ne fait pas le rythme : ici les unités ne sont pas abstraites ; chacune est une réalisation sensible, et elles ne sont pas équivalentes entre elles. Elles ne sont perçues que dans un mouvement continu en trois phases d'amplitude croissante, dont le noyau initial est le couple contrasté : brève-non accentuée + longue-accentuée (iambe)[1]. Ce fondement iambique est impulsé par un mouvement mélodique ascendant :

2	4	3	3

L'inflexion descendante de la voix qui marque d'habitude la fin d'un segment de parole est ici limitée : parce que nous ne sommes qu'en milieu de phrase, comme nous l'indique la ponctuation et qu'en cette fin de vers nous restons en attente de rime (elle ne viendra que deux vers plus loin).

---

1. « Les temps marqués (durée, hauteur) tombent sur les arêtes de sens... La cause en est qu'elles sont conditionnées par la construction grammaticale du vers. Règle absolue... Le texte détermine automatiquement la position des accents..., et ces accents groupant certains éléments de la phrase, les dissocient de certains autres, selon l'ordre de la pensée et l'importance des parties constitutives » (André Spire, *Plaisir poétique et plaisir musculaire*, Corti 1949, cité d'après G. Lote).

Pour qu'il y ait rythme, il faut qu'il y ait d'abord motivation rythmique, c'est-à-dire mouvement suspendu et orienté vers une résolution finale. Cette motivation est essentiellement une motivation de sens : ici c'est l'inversion, intercalant un complément entre le verbe et son sujet, qui suspend l'attention du lecteur à l'apparition retardée du « sujet » grammatical *(le Regret)*.

On peut ainsi décrire schématiquement le fonctionnement rythmique du vers : l'attaque rythmique est assurée par un thème binaire iambique ($\smile$ $\acute{}$), posé à l'initiale de la chaîne, comme figure constitutive du mouvement.

La seconde phase du mouvement n'est que le développement par redoublement de la figure initiale : ($\smile$ $\acute{}$ $\smile$ $\acute{}$) = ($\smile$ $\acute{}$) × 2. Son partage secondaire en deux éléments se fonde sur la similarité de ses constituants syntaxiques (déterminant + nom) ; les accents se posent sur les deux noms monosyllabiques qui portent le sens *(fond, eaux)*. Cette progression par allongement, qu'accompagne la montée mélodique, a pour effet de renforcer l'accent de la finale du groupe : celle-ci occupe la position centrale du vers (césure), et constitue le point le plus haut de la ligne ascensionnelle inaugurée par la figure d'opposition binaire. Après la pause qui ponctue cette crête d'intonation suspensive, s'opère une mutation rythmique : les unités sont groupées, par la distribution des accents, sur le mode ternaire/impair (l'anapeste) : ($\smile$ $\smile$ $\acute{}$) × 2.

C'est sur ce mode rythmique nouveau, qui imprime au débit une accélération (fréquence des unités brèves), et une amplitude croissante du mouvement (chaque groupe est plus long puisqu'il comprend trois unités au lieu de deux, et le segment dans son ensemble couvre la moitié du vers, c'est-à-dire à lui seul six unités), que se réalise l'apparition, la *naissance* enfin accomplie du sujet grammatical. Cependant, cette mutation rythmique au milieu du vers n'est pas ressentie comme une rupture : le groupement anapestique de trois unités a pour principe générateur, par rapport à l'iambe antérieur, le redoublement interne de la brève inaccentuée (on passe de ($\smile$ $\acute{}$) à ($\smile$ $\smile$ $\acute{}$) ; et l'ensemble de l'hémistiche est lui-même constitué par redoublement de l'unité métrique. C'est la même opération de multiplication par deux, qui a assuré d'abord le développement du segment I au segment II, puis qui règle la mutation décisive (quantitative, qualitative) de l'iambe en anapeste, et enfin la constitution du segment final du vers par redoublement du groupe ternaire ($\smile$ $\smile$ $\acute{}$ $\smile$ $\smile$ $\acute{}$).

Si donc nous envisageons le vers, dans son ensemble, en tant que figure rythmique cohérente, nous pouvons nous risquer à parler, à son propos, d'une sorte de « syntaxe rythmique » (au sens où l'entendent les musicologues), fondée sur la prosodie de la langue ; et si chacun lit cet énoncé en tant que « vers », c'est que sa perception est liée immédiatement (sans qu'il éprouve spontanément le besoin d'en expliciter les règles) à celle des *rapports,* dont le système sous-tend et anime le mouvement rythmique.

2. Considérons maintenant le vers de La Fontaine :

Le long d'un clair ruisseau buvait une colombe.

(« La Colombe et la Fourmi », Fables, II. 12).

Sa construction repose encore sur une inversion : l'inversion croisée du sujet et du complément, qui échangent leurs positions respectives, le verbe occupant la place centrale, qui correspond à sa fonction de pivot de la proposition. Ce type d'inversion ne produit pas, comme dans le cas précédent, un effet de renforcement des articulations syntaxiques.

La phrase de La Fontaine ne vise à aucune fonction lyrique : elle dispose les éléments d'une description, inaugurant un récit. L'intention n'est pas d'imprimer dans la conscience, sur les traces d'une figure rythmique, une courbe de tension se développant par paliers ; l'ordre syntaxique se borne à mettre en place les éléments linguistiques nécessaires à la représentation d'une scène : un objet naturel et un personnage mis en rapport (préposition, verbe). La seule délimitation que nous percevons nettement, du point de vue de la segmentation du vers, est la pause centrale : elle coïncide, du point de vue du tableau que nous sommes conviés à imaginer, avec la distinction entre : d'un côté l'*inanimé* (rapport spatial, portion de nature), de l'autre l'*animé* (action, personnage).

2. PROSODIE, PHONOLOGIE ET RYTHME

1. Le vers de La Fontaine

Si nous examinons la distribution des phonèmes, envisagés dans leurs rapports — rapports de timbres (grave/aigu), et variations articulatoires (ouvert/fermé ; antérieur/postérieur) —, nous découvrons des correspondances organisées en séries régulières qui constituent un *rythme*.

Si nous considérons le phonème /o/ de « ruiss*eau* » (voyelle « haute »), au centre du vers (en position forte), nous pouvons remarquer qu'il est un véritable *centre de symétrie* des variations vocaliques : à la paire initiale « le-*long* » fait écho, à la fin de l'autre versant, en position homologue, par rapport au centre, le retour des deux mêmes phonèmes en succession inversée « —*lom*—b*e* » :

$$\text{————— /o/ —————}$$

Le— long...   ... co-lom-be
/ə/ - /ɔ̃/   /ɔ̃/ - /ə/

Autrement dit, la chaîne sonore est très exactement fermée sur elle-même : on part du degré zéro de la variation vocalique (la voyelle « neutre » ou « instable » /ə/ pour aboutir au timbre le plus sonore /o/ qui se pose au centre, par l'intermédiaire de sa variante nasalisée /ɔ̃/, et l'on fait sur l'autre versant le même chemin en sens inverse pour terminer le vers sur le degré zéro (e « muet »), avec une variante sensible : la réapparition de /o/ (col) en position d'antépénultième avant le retour de la nasale (lɔ̃b). Cette symétrie des deux versants du vers est confirmée par d'autres faits : la voyelle /y/ de « bu- » fait rétrospectivement écho à la semi-consonne /ɥ/ de rui-, le /ɛ/ de -vait à celui de clair, la consonne dentale sourde de -ty- (on prononce : bu-vai-tu-ne...) à sa variante sonore /d/ (d'un), le couple consonantique /k-l/ dissocié par la voyelle /o/ dans « col- » à celui de « clair ». On peut enfin noter sur le plan des correspondances grammaticales, le retour symétrique de l'article indéfini : « une » « un ».

A l'intérieur de ce schéma, l'enchaînement des unités syllabiques se déroule dans le cours d'une série d'*oscillations binaires*, fondées sur des écarts *alternés* de timbre, d'ouverture, de quantité, d'intensité, groupant par *couples* les unités ; c'est ici le *mode iambique* [˘ ²] (= ce qui peut-être correspond en musique à un « tempo ») — selon lequel la durée nous est rendue sensible, dans cette tension inhérente à l'alternance, régulièrement reproduite, sur le plan de la durée, et des contrastes phonologiques.

Ainsi la paire initiale /lə/ - /lɔ̃/ (le-long) marquée par l'écart entre les deux phonèmes vocaliques (la consonne /l/ point d'appui initial des deux syllabes, restant la même), inaugure la série de *couples syllabiques* où ce même fait d'écart, réalisé quatre fois différemment, va prendre, par répétition, fonction d'élément constitutif du rythme. La stabilité de la consonne faisant mieux valoir la tension inhérente à l'écart, l'alternance est perçue simultanément au niveau du *timbre* (la nasale est plus grave), de la *quantité* (la nasale est plus longue), de l'*intensité* (la nasale est accentuée). Le groupement iambique est reproduit dans [dœ̃-klɛʀ] (d'un-clair) où la finale /ʀ/ accentue encore l'allongement de la voyelle /ɛ/ ; puis dans [rɥi-so] (ruisseau), dont la finale est à la césure de l'hémistiche et par conséquent valorisée par position (longue, accentuée). Sa reproduction est prolongée au-delà du centre dans /by-vɛ/ (*bu-vait*). Dans les couples deux, trois et quatre est réitéré le même mouvement articulatoire de fermé à ouvert : de /œ̃/ à /ɛ/ (d'*un*-cl*air*), de /i/ à /o/ (r*ui*ss*eau*), de /y/ à /ɛ/ (b*u*-v*ait*).

Quant aux *consonnes*, elles participent deux à deux à ce mouvement d'alternance, sauf dans le couple initial qui prend appui sur la reprise du /l/. Les couples deux et trois, où s'affirme le mouvement ascendant, sont fondés sur un fort degré d'écart des points d'articulation : de /d/ à /k/ (*d*'un-*c*lair) d'avant en arrière ; puis de /r/ à /s/ (*r*ui-*ss*eau), mouvement inverse d'arrière en avant. Ainsi, le moment central du vers, celui de la plus haute crête d'intonation (voyelle longue, accentuée, sonore), là où la *pause* forte figure une suspension de sens et l'attente de la conclusion, coïncide avec un renforcement de la tension articulatoire. Au-delà de ce point fort, quand s'amorce la terminaison de sens et l'inflexion décroissante de la mélodie, le couple quatre (*bu-vait*) s'appuie au contraire sur deux consonnes de faible écart : /b/ et /v/ (labiales), et dont la progression va dans le sens de la détente (sourde/sonore).

Le retour final au niveau phonique initial se réalise dans un élément rythmique nouveau (˘ ˘ ˘ ² = « u-ne-co-lomb(e) »), où se brise la périodicité fondée sur l'alternance binaire ; l'attente de l'allongement et de la pause conclusifs est suspendue sur quatre temps : les trois brèves préparatoires lui assurant une pleine résolution, et la labiale /b/ une exacte fermeture de l'appareil vocal à son extrémité.

Le long	d'un clair	ruisseau '	buvait ⁻	une colomb(e)
lə-lɔ̃	dœ̃-clɛʀ	ʀɥi-so	byvɛ ⁻	ty-nə-ko-lɔ̃b.

Cette étude détaillée permet de comprendre comment se constitue un rythme, dans le déroulement syllabique, sur la base des propriétés sensibles de la langue, aménagées en étroite liaison avec la syntaxe, dans le cadre d'un modèle métrique[1].

2. Le vers de Baudelaire

Si nous appliquons la même méthode d'analyse de la distribution des groupements au vers de Baudelaire, nous nous trouvons en présence d'une tout autre figure : tout se passe comme si le découpage rythmique $[2 + (2 \times 2) + (3 \times 2)]$ lui imposait son cadre.

Si la voyelle /o/ occupe ici aussi la place centrale, c'est plutôt comme un point de relais, au centre de la gradation progressive de l'amplitude des segments successifs. Le /s/ du groupe initial (*surgir*) est repris à l'initiale du dernier groupe (*souriant*), après un passage intermédiaire par sa variante sonore /z/ dans [zo]. Dans cette suite de trois syllabes, associées par leur commune consonne initiale, et en raison des positions fortes qui leur assurent dans la diction une valeur particulière ([sy] - [zo] - [suʀ] -), la voyelle centrale /o/ est perçue comme une variante intermédiaire entre /y/ et /u/, et la variante finale de cette triple allitération (le /u/ de « s*ou*riant ») est le résultat d'une contamination des deux autres. Cette transformation a elle-même passé par une phase préliminaire, au début du segment médian, dans la variation de /y/ à /ɔ̃/ : /o/ est déjà présent dans sa forme nasalisée (d*u*-f*on*d), avant d'apparaître à la césure. On peut donc observer qu'il y a une sorte d'accord entre le mouvement de gradation rythmique et l'aménagement dans leur succession des variations vocaliques.

D'autre part, le couple initial [suʀ-giʀ] est caractérisé par la réitération de /ʀ/. La présence d'un /ʀ/ en fin de syllabe a pour effet de *bloquer* l'appareil vocal vers l'arrière et le haut du palais : elle tend à allonger et à

---

1. L'idée qu'un rythme peut se constituer par des retours de timbres est confirmée par la phonétique expérimentale, selon André Spire, qui s'appuie sur les travaux de Georges Lote : « C'est leur retour, leur périodicité qui constitue bien un rythme et peut s'organiser en figure rythmique… tendant à l'établissement d'un régime constant de rapports entre les brèves et les longues. » D'autre part « le retour de certains sommets d'intonation, en fin de groupes rythmiques, met un certain ordre dans le temps, retour qui constitue un facteur d'attente ». (*id*.). Ces conclusions résultent d'une enquête effectuée à partir d'enregistrements.

fermer la voyelle qui précède, quand il s'agit de voyelles fermées comme /y/ et /i/. Comme la seconde voyelle est la plus fermée, la plus tendue, la plus aiguë des deux, le mouvement de ce premier couple rythmique tend vers une élévation de la tonalité et de la tension. Or cette même semi-consonne /ʀ/ se retrouve *trois fois* dans le troisième segment rythmique, là où parallèlement le mode rythmique devient ternaire : il y a donc une conjonction entre le principe numérique de la base rythmique et celui de l'allitération. Mais, par rapport au premier groupe, elle se trouve trois fois en position inverse : de finale qu'elle était, bloquant deux fois les ondes des voyelles, elle est devenue, par une inversion de la tendance, en position initiale, facteur d'éclosion et d'ouverture des ondes sonores[1].

L'analyse du segment intermédiaire (du-fond-des-eaux) nous fait observer des faits de même ordre, confirmant la fonction de *contrepoint* sonore de l'aménagement des phonèmes à la segmentation rythmique. La répétition de /d/ (les deux articles *du-des*) ponctue son partage en deux couples homologues (même attaque consonantique). Et, à partir du /y/ (*du*) qui relaie le /y/ initial de /syʀ/, la ligne de développement vocalique tend progressivement vers l'ouverture (de /y/ à /ɛ/ (d*u*-d*es*) ; de /ɔ̃/ à /o/) ; celle des consonnes vers un relâchement parallèle de la tension articulatoire (de /d/ à /f/ à /z/).

3. Conclusion

Cette analyse comparée de deux vers, qui ont pour seule similitude le même modèle métrique, c'est-à-dire le compte des unités syllabiques, a révélé, dans les deux cas, que l'impression auditive particulière, durable, a pour support une organisation rigoureuse de la matière sonore, de même que l'impression « musicale » est consécutive à de savantes combinaisons de « notes », dont seul un technicien expérimenté est, à la limite, capable d'analyser les principes de combinaison.

Si nous nous appuyons, pour caractériser la « poésie », sur la distinction des niveaux de langage, proposée par les linguistes (niveaux sémantique, syntaxique, phonologique = les mots, les propositions ou les phrases, les sons), on peut admettre que la qualification de « poétique » tient à un aménagement particulier de la hiérarchie des niveaux : la *motivation rythmique est prédominante,* et elle s'accompagne d'une promotion de la valeur qualitative des plus petites unités dans un réseau de rapports phono-rythmiques, qui a une valeur propre, et une autonomie relative par rapport à l'organisation de l'énoncé en mots et groupes syntaxiques. Ainsi le /so/ (de « rui-*sseau* ») n'est plus seulement la syllabe d'un *mot* : c'est-à-dire deux sons associés en syllabe, celle-ci associée à une autre pour produire un certain *sens* (distinguer le mot « ruisseau »

---

1. On peut même noter la disposition particulière de ces trois ʀ : deux dans le premier groupe, un seul isolé dans le second : disposition conforme à la nature de l'anapeste, où le troisième élément est accentué et *détaché* des deux précédents qui le préparent (- - :).

d'avec le mot « rui-*ner* »), par rapport à un certain objet de la réalité extérieure (le « référent »), qu'il désigne conventionnellement pour tous ceux qui parlent « français ». Il est perçu pour sa *valeur sonore* propre dans la séquence prosodique, marquant un sommet d'intonation, à une place décisive pour la répartition et l'équilibre des temps marqués — et dans une série de rapports intervocaliques eux-mêmes régulièrement distribués.

Dans nos deux exemples, nous avons analysé deux modes distincts de développement rythmique, et corrélativement deux organisations vocaliques et consonantiques où les unités phoniques n'ont été prises en compte que dans leur succession, dans la dynamique de leurs rapports, et toujours d'après leur nombre, leur ordre, et leur relation avec la disposition des accents.

Dans le vers de La Fontaine, la matière sonore a été organisée selon un principe de régularité mettant en œuvre des rapports statiques : similarités et contrastes ordonnés dans la symétrie. Le vers (initial) de la fable a une fonction strictement descriptive et toute son organisation tend à « représenter » une répartition immobile des choses dans l'espace (le vers suivant y introduira le trouble : *Quand sur l'eau se penchant une fourmi y tombe.*). Tel est l'usage du mode pictural classique : nommer et mettre en place ; les mots ne disent ici que ce qu'ils désignent strictement. Et la vieille devise d'Horace, *Ut pictura poesis* invite le poète à soumettre son art aux conditions de la peinture. Dans l'ordre des sons, la tradition classique privilégie l'euphonie, l'établissement d'un ordre fondé sur les rapports harmoniques entre les traits sonores, accordés à la mesure.

La préoccupation dominante de Baudelaire est l'*eurythmie*. La courbe rythmique du vers a une valeur introspective : elle figure un mouvement de la vie intérieure : la condensation, dans une forme sensible du temps, d'un élan mesuré de l'âme. C'est d'abord la syntaxe, par l'inversion, qui a fixé les phases et les modalités de déroulement de ce mouvement rythmique de gradation progressive, qui est le signe d'un effort, le complément intercalé figurant la barrière à franchir du verbe à son sujet. Toute l'organisation prosodique se trouve, comme par osmose, accordée au développement de la variation rythmique. A la différence du vers de La Fontaine, celui de Baudelaire fait partie d'une série où règne la métaphore, et dans la métaphore le message déborde les termes stricts de l'énoncé. Leur ordre de succession fait valoir, au centre du vers, la portée métaphorique du rapport de sens entre les deux termes *eaux/Regret*, associés par proximité immédiate, cependant que la conscience grammaticale fait valoir simultanément leur rapport syntaxique et logique (complément d'origine, sujet). Dès qu'émerge l'allégorie (signalée par la majuscule « *Regret* »), au moment où se libère un rythme ternaire, toutes les associations de termes ont pris, de proche en proche, dans la confrontation simultanée de leurs rapports de sens et du rapport grammatical, une valeur métaphorique : du sujet à son verbe (*Regret/surgir*), du sujet à son complément (*Regret/eaux*), de l'adjectif-épithète au nom-sujet (*souriant/Regret*). Le rapprochement « *des eaux/le Regret* », porté par la syntaxe et le rythme au point décisif du vers, tend à effacer dans la conscience du lecteur, les frontières entre le concret et l'abstrait, le matériel et l'immatériel. Du fait de l'ambiguïté du rapport sémantique/syntaxique, « *les eaux* » ne désignent plus strictement l'élément liquide, mais l'univers « aqueux » de la mémoire ; cependant qu'en sens inverse, par une sorte d'échange en « miroir », le regret, désigné par le nom propre (Regret) assorti d'un épithète (souriant) qui lui suppose un support corporel, s'incarne imaginairement dans un personnage mythique. Le lieu de cette transformation coïncide avec le centre du vers ; il est aussi celui de la transformation rythmique et du réaménagement de la matière phonique dont nous avons analysé les modalités.

CHAPITRE III

LE VERS FRANÇAIS ET SES PROBLÈMES

Nous poserons, dans ce chapitre, les questions apparemment les plus simples : pourquoi le vers ? Qu'est-ce qu'un vers ?

A première vue, c'est un segment arbitrairement délimité, qui impose au déroulement du discours une régularité artificielle, dont la réglementation procède d'un principe extérieur à la langue. Mais son origine se confond avec la naissance même de la poésie, au point que le cadre du vers a été admis, sans discussion, jusqu'à l'époque moderne, comme sa condition d'existence.

Il faut donc reconnaître que les poètes y ont trouvé, depuis des siècles, un cadre favorable à l'exploitation de ressources du langage (rythmiques, prosodiques, sémantiques), habituellement négligées.

1. QU'EST-CE QU'UN VERS ? SON SENS, SES COMPOSANTES ET SES PARTICULARITÉS

1. L'étymologie

Le mot latin « versus » est le participe nominalisé du verbe *verto* = « tourner ». Il désigne à la fois : le sillon, la ligne d'écriture en général, et le vers proprement dit (accessoirement, dans un langage spécialisé : une mesure agraire = cent pieds). Cette étymologie est intéressante, dans la mesure où elle associe le geste du laboureur qui, arrivé au terme du sillon, « retourne » (ou se tourne pour) faire le suivant, à celui du poète alignant des vers parallèles. Dans la métrique gréco-latine, et dans la versification française classique, le vers initial étant posé, c'est-à-dire une ligne comprise entre deux limites, la tâche consiste à en tracer une autre, homologue et parallèle à la première, et ainsi de suite... Ce principe de délimitation de la ligne est d'autant plus facile à remarquer, que la ligne n'épuise pas, comme dans la prose, la largeur de la page. Le poème est entouré de larges marges blanches, et le vers apparaît comme un « tracé » qui s'est imposé ses propres limites.

2. Le nombre

Le principe de délimitation du vers est numérique, ainsi qu'en témoigne la nomenclature : hexasyllabe (6), heptasyllabe (7), octosyllabe (8),... décasyllabe (10), hendécasyllabe (11), dodécasyllabe (12). C'est le nombre des unités syllabiques qui définit, dès l'origine, le modèle de vers. Le vers français est traditionnellement un vers « compté », sa lecture est dès le départ et sur tout son parcours suspendue à, et orientée vers l'attente de l'accomplissement du nombre : le moment final est fortement marqué par l'accent, l'allongement, la rime, et la pause.

Cette domination du nombre organise la syntaxe et la matière phonologique (voir notre analyse précédente).

L'inscription de la parole et des discours (religieux, moraux, politiques, etc.) dans des formes contraintes, soumises à la répétition, à la périodicité, à la symétrie, aux parallélismes (sémantiques, syntaxiques, sonores) a constitué pour les sociétés antiques, et d'abord pour les sociétés sans écriture, une garantie de conservation du savoir, contre l'oubli et l'altération : « Maximes et dictons sont cités avec autorité non point à cause de leur sens, qui est souvent contradictoire, mais parce que leur forme laconique, sans mots inutiles, apparaît le signe d'une permanence prestigieuse qui les rend pour ainsi dire intouchables : comme le sont les vers, qui obéissent de leur côté à une économie ostensible »[1].

3. Le fonctionnement interne

Il faut d'abord préciser, pour combattre un malentendu courant, que l'égalité du nombre de syllabes entre deux vers successifs n'entraîne pas une régularité « métrique ».

1. *Les syllabes ne sont pas des unités fixes de durée.* La prosodie du vers français ne s'appuie pas comme la grecque ou la latine, sur une « métrique ». Chez les anciens, un principe mathématique : une longue = deux brèves sert à la constitution des pieds et des mètres, et des vers (pentamètre, hexamètre) ; appliquer ce type d'organisation sur les vers français, c'est méconnaître que la perception du temps y a pour base une tension variable dans la variation continue entre brèves et longues ; que la distinction brève/longue n'est que relative : une brève est plus ou moins brève, selon son éloignement ou sa proximité par rapport à la longue qui suit ; une longue est plus ou moins longue, selon le nombre de brèves qui la préparent et selon sa position (intermédiaire ou finale) ; la valeur quantitative d'une pause dépend de la force de l'articulation syntaxique et de sa place dans le vers. La régularité métrique, même dans les vers comptés, est donc un mythe, et si l'imposition du nombre produit des effets de rigueur et de resserrement, c'est aussi parce qu'elle accentue les distensions entre voyelles longues et brèves, hautes et graves, entre segments longs et courts, etc.

---

1. Roger Caillois, *Approches de la poésie*, NRF, Gallimard, Paris, 1978, p. 233.

2. En raison d'un phénomène propre au français, le cas du e /ə/, dit muet ou instable, c'est-à-dire dont la prononciation est incertaine, *le nombre réel de voyelles + ou − prononcées dans un vers est approximatif :*

> *Et Phèdre au Labyrinthe avec vous descendue*
> *Se serait avec vous retrouvée ou perdue.*

(Racine)

Dans une enquête portant sur 1094 vers alexandrins, le poéticien G. Lote (*L'Alexandrin d'après la phonétique expérimentale*) en recense 655 (plus de la moitié !) qui comptent plus ou moins de douze syllabes, et pourtant, constate-t-il, « ces alexandrins sont perçus comme alexandrins malgré leurs syllabes nulles ou en surnombre ». Cette particularité pose un problème à la diction de l'acteur : soit qu'il se contente de suggérer cette présence du /ə/, soit qu'il aille jusqu'à le détacher nettement, comme dans certaines mises en scène récentes de Racine. Cette singularité introduit un facteur d'indécision dans le compte des voyelles, qui est loin d'être négligeable et passe même pour un avantage, corrigeant la rigidité d'un système fondé exclusivement sur le nombre.

La contrainte du nombre peut pousser le poète à accepter certaines « libertés » (licences poétiques) à l'égard de la langue :

4. L'élision

Suppression pure et simple, marquée d'une apostrophe, d'une voyelle qui devrait être prononcée, mais qui serait en surnombre dans le vers. Elle est admise jusqu'au xvie siècle ; la doctrine classique la proscrit :

> Exemple : Pour *c'* aimez-moi cependant qu'êtes belle (Ronsard)
> (outre le e de *ce*, c'est le pronom personnel « vous » qui est élidé)
> *Marot : Je ne t'escry de l'amour vaine et folle,*
> *Tu vois assez s'elle sert ou s'affolle,*
> *Je ne t'escry de fortune puissante,*
> *Tu vois assez s'elle est ferme et glissante.*

(*Epistre* IX).

(c'est le *i* de *si* qui disparaît)

Cette licence est proscrite au temps de la doctrine classique ; elle reste courante dans la chanson, soumise à l'adaptation musicale (« Les amoureux qui s' bécot' sur les bancs publics », G. Brassens.). Elle est utilisée dans la poésie parodique :

> *Bien bien dit cet enfant*
> *si c'est pas chos' permise*
> *bien bien dit cet enfant*
> *j' fais tout d' mêm' mes valises*

> Raymond Queneau, « *La grand'mère voltairienne et son petit fils qui ne l'était pas* », dans :

Le Chien et la Mandoline, Gallimard.

(Ici la systématisation de l'élision, en prenant à contre-pied la règle, parodie l'obligation de compter dans le vers le *e* devant consonne).

5. La diérèse

Elle consiste à dissocier, pour se conformer au modèle de vers, deux voyelles réunies en une syllabe dans la prononciation naturelle :

Exemple :   *Et dans l'ascen*si-on *des nuages bénis*
Va te purifi-er dans l'air supéri-eur

(Baudelaire).

-ion, ier, ieur, ne comptent que pour une unité syllabique dans la diction habituelle ; le détachement du *i*, rendu nécessaire pour l'accomplissement du nombre, fait de la voyelle une unité syllabique à part entière, constituée en valeur phonique autonome, et distend l'articulation.

Dans l'exemple de Verlaine :

« Les sanglots longs
Des vi-o-lons
De l'automne

la diction de vi-o-lons *s'étale sur trois syllabes, le lecteur y est tenu pour se régler sur le modèle du vers précédent* 1 + (1 + 1 + 1).

Ainsi la rime est mieux isolée [o-lɔ̃] ; l'armature du vers repose sur le développement de la série vocalique : i-o-ɔ̃ (de la note haute/aiguë à une note basse au timbre grave). Mais curieusement, une oreille attentive et formée au sentiment de sécurité que procure le vers classique ne peut s'empêcher d'éprouver, à la réflexion, une sorte d'indécision : le premier vers est de quatre unités, la strophe de trois vers, le dernier vers de trois unités, et le vers médian concerné par cette forte diérèse est le pivot de ce jeu équivoque où la mesure hésite entre quatre et trois, entre le pair et l'impair, ou plutôt cherche un rythme dans l'entrecroisement simultané des deux.

6. La synérèse

Au contraire de la diérèse, c'est le fait de ne compter que pour une seule unité dans le vers ce qui compte pour deux dans la prononciation habituelle :

C'est ung Clément, ung Marot, un qui rime :
Voyci l'ou*vr*ier, l'art, la forge, et la lime.

(Marot, Epigrammes XVII).

(Après deux consonnes, -ier compte normalement pour deux. Comparer : *lier* et *pri-er*.)

7. Les liaisons à l'intérieur du vers : traitement des consonnes finales et du e muet.

a. Indépendamment de la limite du mot, une consonne finale (par exemple le *t* de « buvai*t* ») se détache, pour servir de consonne d'appui à la syllabe suivante, si celle-ci est une voyelle, ex. : « bu-vai-*tu*-ne-co-lomb(e) ». Dans le vers, comme dans le mot, on fait toutes les liaisons, parfois même d'un segment rythmique à un autre, même par-dessus une coupe grammaticale. Exception faite d'un vers au suivant, c'est-à-dire à la limite du vers.

b. Le /ə/, à l'intérieur d'un mot qui a tendance à s'effacer de la prononciation (ex. : *camp(e)ment, plaisant(e)rie*), mais se maintient quand il suit deux consonnes et est suivi d'une autre (loi des trois consonnes : exemple *proprement, parvenir, fortement*), est toujours prononcé dans le vers compté. Tout se passe comme si la loi du nombre tendait à éviter qu'il y ait des voyelles perdues.

c. Le /ə/ final d'un mot (ou d'un groupe) qui a totalement cessé d'être prononcé, ne s'élide dans le vers que devant voyelle ; devant consonne, il se maintient, même par-dessus une pause. Cette règle concerne, en particulier, les finales en *-es* (désinences de la deuxième personne du singulier des vers en *-er*, terminaisons du féminin pluriel) :

Exemple : *Flottes prises d'assaut, frontières effacées*

(Victor Hugo, « A l'obéissance passive », *Les Châtiments*).

Le fait que le *-es* final de *frontières* soit compté (malgré la finale vocalique du mot suivant) entraîne une revalorisation du *-s*, qui devient, en raison de l'obligation de la liaison, la consonne d'appui de la syllabe suivante (on dit « *zef*-fa-cées »).

Si cette règle fait difficulté pour respecter le nombre d'unités du vers, il arrive que le poète, pour permettre l'élision de la voyelle en surnombre, sacrifie l'orthographe :

Si l'arc que les neuf Sœurs te meirent en la main
Tu ne me preste icy, pour faire ma vengeance.

(Du Bellay, *Regrets* CXXX).

Prises dans leur ensemble, ces trois règles conduisent à la conclusion suivante : à l'intérieur du vers, le traitement du /ə/, comme celui des consonnes finales, est strictement le même qu'à l'intérieur d'un mot. « Les limites de vers sont traitées comme des limites de mot et le vers lui-même comme une unité phonologique » (J. C. Milner, *Le fonctionnement du vers français*). Comme disait excellemment Mallarmé, « Le vers *refait* un mot total ». C'est dire que ces règles ne sont pas gratuites, mais fondées en raison ; elles ont pour modèle le fonctionnement phonétique interne du mot ; mais en même temps, elles visent à donner au vers une cohésion particulière au-delà des frontières de mots et des limites des groupes syntaxiques.

Exemple 1 : *Amis de la sciencȇ ̑et de la volupté*

Ils cherchent le silencȇ ̑et l'horreur des ténèbres

L'Erèbe les eût pris pour ses coursiers funèbres

S'ils pouvaient au servage incliner leur fierté.

(Baudelaire, Les Chats).

Au centre des vers 1, 2 et 4, le /ə/ de science, de silence, de servage s'élide devant voyelle, et de ce fait les consonnes /s/ et /ʒ/ deviennent finales de mots, enjambent la frontière de l'hémistiche : la liaison les transforme en consonnes d'appui de la syllabe suivante.

On note le comportement particulier de la finale du pluriel du verbe « pouvai*ent* », non prononcée, donc non comptée dans le nombre des unités (ce qui n'est pas nécessairement le cas après un /i/ ou un /y/, ex. : li-*ent*, constitu-*ent* où la finale peut être prononcée et comptée), mais dont la consonne finale /t/ sert à faire la liaison avec la syllabe suivante « -tau » ; ce fait est lié à la règle (en fait tardive) de proscription de l'*hiatus* (= rencontre de deux voyelles), lequel est rare à l'intérieur des mots français, car il risque d'affaiblir la conscience de la division syllabique, laquelle est liée, quasi-spontanément dans notre langue, et sauf exception, à l'apparition de la consonne intermédiaire.

Exemple 2 : *Quelle spĭr(e) à peĭn(e) atŏn(e) en ces lits de bois*

(Raymond Queneau).

Cet exemple a pour objet de faire valoir — outre les faits précédemment identifiés : l'effacement du /ə/, et la liaison — un autre aspect de l'importance de /ə/ dans la prosodie française : bien qu'il ne soit pas prononcé ni compté à part entière, la conscience de sa présence obligatoire comme élément inséparable de l'existence même du mot de la langue, invite à faire sentir cette présence, par compensation, en *accentuant* et en *allongeant* la voyelle de la syllabe antérieure, cependant que la consonne devenue finale, par élision de /ə/, enjambe la limite du mot pour aller servir d'initiale au mot suivant. On a ainsi dans cette première partie du vers trois voyelles longues et accentuées, à intervalles très rapprochés : spĭr- pĕn-tŏn-. La présence implicite de ce /ə/, non prononcé, produit une sorte d'hésitation marquée qui a un effet sensible sur la diction. Par excès, le vers de Queneau prend une valeur parodique.

8. Pauses, coupes, césure

A l'intérieur d'un vers, le déroulement du temps est réglé par une répartition variable, en nombre et en positions, de pauses de la voix, à la fois respiratoires, syntaxiques, et rythmiques. Car elles répondent à un besoin physiologique, qui conditionne le plaisir (l'euphorie du langage), à une nécessité logique satisfaisante pour la pensée. C'est la variabilité des positions possibles des temps de pause, leur mobilité, qui permet le rythme, en donnant forme au temps.

Une nomenclature ancienne, fondée sur l'expérience classique (XVIIe siècle) distingue la *césure*, pause principale fixe dans l'alexandrin, et les *coupes* (pauses secondaires variables).

Exemple : *Je sais / ce que je dois / au souverain bonheur //*
Dont me comble / et m'accable / un tel excès d'honneur.

(Corneille, *La Mort de Pompée*).

Ménager des temps de pause dans l'unité respiratoire, aménager le temps selon un principe de rationalité, c'est ce que facilite la base numérique de la construction du vers : étant donnée une série de douze unités, elle offre des possibilités variées de groupements internes, conformément à des proportions simples (6 × 2) (4 × 3) (3 × 4) (2 + 4 + 6) (3 + 3 + 6), etc. Si le vers « alexandrin » a eu dans l'histoire de la poésie française une si singulière fortune aux dépens des autres modèles, c'est peut-être qu'il offre, dans des limites « raisonnables », pour notre capacité respiratoire, une large variété de groupements possibles.

Mais on ne peut s'en tenir à cette logique combinatoire abstraite ; la mesure ne fait pas rythme, même si le second a besoin de l'appui de la première. D'autre part, à la divisibilité d'une série syllabique, la langue oppose la résistance de ses structures propres, non seulement des mots, mais des blocs syntaxiques : aucune coupe ne peut passer à l'intérieur d'un mot, ni entre l'article et le nom ; chaque pause suit immédiatement un temps fort, d'où la règle classique, fondée sur la prosodie de la langue, qui proscrit que la sixième position de l'alexandrin (précédant la césure) soit occupée par une voyelle atone.

Sur l'exemple du couple de vers de Corneille, on peut faire les observations suivantes :

— Une même coupe médiane divise les deux vers, en leur centre, selon le principe de la symétrie : valoriser le sommet de l'intonation (syllabe accentuée, longue, pause), partager la séquence en deux versants symétriques.

— Une coupe mobile divise les premiers hémistiches de chaque vers, après le deuxième temps, puis après le troisième : (2 + 4), puis (3 + 3). Cette mobilité de la coupe secondaire, d'un vers à l'autre, introduit le mouvement dans la stabilité, un mouvement contrôlé par la rigueur du système.

En effet, *plus un groupe rythmique contient d'unités syllabiques plus il se débite vite,* puisqu'il comporte une plus longue série de brèves, par compensation, la longue finale a tendance à s'allonger. Au premier de ces deux vers, l'allongement des groupes est progressif (2 + 4 + 6) ; l'accélération du débit est répartie selon une proportion régulière en trois phases successives ; chaque pause marque le moment d'un changement de *tempo*, et la césure le moment décisif, où l'attention est orientée vers la résolution finale du vers. Au second vers, cette progression est moins sensible, les deux paliers initiaux sont également répartis sur trois unités (˘ ˘ ‒ ˘ ˘ ‒), les deux verbes sont mis en position d'équivalence (me-comble/m'accable) ; mais l'allongement de la syllabe à la césure est plus important. Dans les deux cas, le découpage du premier hémistiche produit un effet de retardement orienté. Il ne s'agit donc pas d'un simple fractionnement numérique, mais de l'établissement, gradué par paliers, d'un équilibre de valeurs, entre les phases successives[1].

On peut comparer de ce point de vue :

1. la lenteur remarquable imposée à la diction par le partage, en groupes de deux unités, du premier hémistiche dans ce vers de Baudelaire :

Entends / ma chèr(e) / entends / la douce Nuit qui marche.

2. la rapidité de ce vers de Rimbaud qui ne comporte même pas de coupe médiane puisque la sixième position de l'alexandrin est occupée par un article inaccentué :

Fileur éternel des immobilités bleues

Enfin, ce qui fait la valeur d'une pause, c'est qu'elle suit immédiatement un accent d'intonation (ou « d'acuité ») ; or cet accent est « l'instrument le plus sensible dont dispose la voix humaine pour marquer la suspension de la pensée » (G. Lote). La pause, même à peine perceptible, est moins un temps d'arrêt, qu'un point sensible de suspension du balancier, à chaque élévation du ton, et qui permet d'en peser l'exacte valeur dans le mouvement de la pensée.

Il résulte de ces observations que pour apprécier un mouvement rythmique, du point de vue des coupes, il faut étendre l'étude au-delà de l'unité versifiée : au minimum, comme nous l'avons fait, au couple de vers. Mais l'unité la plus favorable à ce genre d'études est la strophe, à l'intérieur de laquelle, dans le cadre de la régularité relative du retour du modèle métrique (ponctué par la rime), c'est la mobilité et le déplacement incessant de la pause d'un vers à l'autre qui fait le mouvement.

Si tu veux,' faisons un rêve :	3	4
Montons' sur deux palefrois ;	2	5
Tu m'emmènes,' je t'enlève.	4	3
L'oiseau chante' dans les bois.	3 (1) 3	

(Victor Hugo).

---

1. Ce couple de vers de Corneille mérite évidemment mieux que son utilisation de circonstance à titre d'exemple, pour une démonstration particulière. Nous y notons en ordre :
a) le rôle de l'allitération triplée de /s/, ponctuation sonore de chacun des trois éléments constitutifs du rythme et de la syntaxe du vers (1) ;
b) celui du redoublement, au vers (2), dans le même ordre, de la série consonantique /m-k-bl/, faisant valoir la variation vocalique entre les deux verbes (me-*comble*/m'*accable*). Cette figure sonore, par similitude (les consonnes) et contraste (les voyelles), fait contrepoint à la logique du sens = les deux termes, logiquement contradictoires, sont ici reliés par le conjonctif « et », et s'ajoutent au lieu de s'exclure ;
c) celui de l'inversion du sujet grammatical au second vers, qui projette à la rime le terme « honneur », porté ainsi en position d'équivalence avec son homologue « bonheur ».
Tout ce qui compte ici comme « faits poétiques », dans la constitution des vers, implique aussi le sens, c'est-à-dire la morale cornélienne.

Ces vers sont des heptasyllabes, à une seule coupe ; la segmentation est chaque fois différente, et cette mobilité de la pause est le facteur de l'animation rythmique.

9. L'allitération

Dans le premier vers du quatrain de Hugo que nous venons de citer, l'attention de l'oreille est sollicitée par la triple répétition consonantique v/f/v (variantes faible et forte de la labio-dentale). Sur un vers aussi court, cette fréquence est remarquable, d'autant qu'elle concerne les trois mots essentiels : la première fois à l'initiale du mot accentué « veux », la seconde (variante forte) comme consonne d'attaque [fœzɔ̃] — à la coupe du vers — du deuxième groupe rythmique, porteuse d'un accent d'insistance, et renforçant ainsi le moment de l'articulation rythmo-syntaxique, la troisième en final du mot à la rime (-rɛv-) pour clore le vers.

Signalons encore la disposition : la variante forte f, qui ponctue l'articulation du vers, occupe dans la série la position centrale, encadrée de part et d'autre par la variante faible (figure de symétrie) : et de « *V*eux » à « rê*V*(e) » (les deux mots monosyllabiques occupant les positions accentuées) la position de la consonne est inversée (initiale/finale). La combinaison de ces « figures » simples forme la trame de bien des séries musicales : c'est la condition pour que notre attention auditive puisse repérer dans le déroulement uniforme des sons des points d'appui, y déceler un ordre, une stabilité dans le mouvement : points d'appui dans la répétition qui fait une chaîne entre les mots, stabilité du rapport entre faible et forte de la même variété phonématique, et dans la succession inversion croisée des positions deux à deux (de vœ à ɛv, v — à v—.). Ces observations nous rappellent ce que dit Proust à propos de l'audition d'une « phrase » musicale (*Du côté de chez Swann*) : que la mémoire « comme un ouvrier qui travaille à établir des fondations durables au milieu des flots », une fois passée la sensation immédiate, trouve dans la structure de quoi en retenir une « transcription sommaire et provisoire » qui permet de « s'en représenter l'étendue, les groupements symétriques, la graphie, etc. »

Le phénomène est connu sous le nom d'*allitération*.

Les commentaires habituels, au lieu de s'orienter vers les problèmes du rythme, tendent à enfermer la réflexion dans une recherche hasardeuse d'*harmonie imitative*, laquelle suppose qu'il y ait un rapport immédiat entre le son et le sens, jusqu'au niveau des phonèmes.

> Exemple : fr *c'est le* frottement, le frôlement, le froissement, *surtout si le mot contient en outre la spirante dentale* s *:*
>
> *Jusqu'au* frémissement de la feuille froissée
>
> (Hugo).
(Grammont, Traité de phonétique, p. 412, éd. 1933).

Ce raisonnement est aberrant : il consiste à attribuer comme qualité *naturelle* du son (« *fr, c'est* », etc.), ce qui revient au sens des mots, et à prendre comme principe général ce qui n'est que déduction d'une situation particulière. Qu'en est-il en effet du même /fr/ dans o*ffr*ir, *fr*apper, e*ffr*oi, sou*fr*e, *fr*omage, etc ?[1]

L'allitération joue un rôle dans la construction du vers : il est l'équivalent d'une « phrase » musicale, perçue parallèlement à la « phrase » grammaticale, ou en « contrepoint ».

« L'allitération, et plus largement l'attaque consonantique, a une *fonction de construction et de rythme* ; une fonction de signal par la création d'une chaîne particulière qui vaut par elle-même et pour elle-même... »[2]

Exemples :

1. « Chaque fleu*r'* s'évapo*re'* ainsi qu'un encenso*ir* »

(Baudelaire).

Les trois /r/ ponctuent, de leur répétition, la fin des trois groupes accentuels, et cette répétition rend sensibles les trois étapes de la variation vocalique : de /œr/ à /or/ à /war/ (mouvement gradué d'ouverture qui est la face *sensible* du rythme).

2. « Et l'on *p*rit un *d*rap blan*c'* dans l'a*r*moire en noyer »

(Hugo).

De ce vers Aragon dit : « C'est un vers qui *tient sur* ses r : prit, drap, armoire. » (*Hugo, poète réaliste*, éd. sociales 1952, p. 55-56).

On peut ajouter que leur distribution participe, de façon sensible, à la construction du vers : ils sont répartis deux à deux de part et d'autre de la césure centrale, deux fois comme composant secondaire d'une consonne double initiale *pr-* et *dr-*, puis deux fois en fin de syllabes, associés à la même voyelle -a- : -laʀ et -mwaʀ.

3. Dans certains exemples, l'allitération déborde le cas de la stricte répétition du même phonème :

« *B*ooz dor*m*ait au*p*rès des *b*oisseaux *p*leins de *b*lés. »

(Hugo).

---

1. Ce type de commentaire est constant, même dans des ouvrages relativement récents. Dans un livre à usage scolaire (*Phèdre* de Racine, Hatier, 1973), on peut lire (p. 60) à propos du vers célèbre « La fille de Minos et de Pasiphaé » = « il faut (...) reconnaître l'effet très étudié des sonorités = le « i » *inquiétant* soutenu par la *menace sourde* de « f » ; le son « a » clair, *impitoyable, féroce* même dans l'hiatus final avec le « é » court et « sec » (p. 60) — « Magistrale étude » s'exclame le commentateur, enthousiaste ! Sans se rendre compte de la naïveté de cette astuce qui consiste à choisir, pour chaque phonème, un adjectif qualificatif dans la gamme de ceux qui dénotent des émotions... puisque nous sommes dans le registre tragique. Cette prolifération arbitraire d'adjectifs est le signe indéniable de l'absence d'argumentation, à laquelle est substitué ici un pathétisme délirant. Car *les phonèmes n'ont d'eux-mêmes aucun sens* ! ni aucune qualité intrinsèque susceptible de provoquer la terreur ou la pitié ! « Le phonème, prévient Jakobson, est un faisceau de qualités distinctives. Celles-ci sont douées d'un caractère purement oppositif. » (*Six leçons sur le son et le sens*, éd. de Minuit, 1942-1976, p. 119).

2. Henri Meschonnic, *Pour la poétique*. Gallimard, 1970, p. 79.

On peut dire ici que le vers *tient sur* ses six *labiales* (présentes sous leurs trois variantes : *m, b, p*), alternant avec les dentales (dont trois fois /d/). A l'alternance *b/m* dans la première partie du vers, correspond, dans la seconde, l'alternance *p/b*, deux fois réalisée, et particulièrement sensible en fin de vers avec la permanence du /l/ (*pl/bl*).

4. Pour que l'ensemble des exemples cités ne laisse pas croire que le fait ne concernerait que la poésie « classique », citons enfin ce vers d'Eluard :

La-griffe agrafe l'or *fra*gile
(« Du clair mirage de sa proie »)[1]

où l'allitération, à quelques phonèmes près, imprègne le vers entier ! Le même ensemble phonétique /agr-f/ est d'abord répété dans le même ordre de succession, avec pour seule variation le passage de /i/ à /a/. Les mêmes éléments se retrouvent, réaménagés dans une disposition nouvelle, pour la terminaison du vers (*fra*gi), le /l/ final faisant par ailleurs écho au /l/ initial de « *l'or* ». L'ordre d'apparition des deux voyelles est lui-même inversé. Et la lettre /g/ dont la réalisation phonique est différente /-ʒ/ y joue, au moins, à titre de rappel visuel.

---

1. Paul Éluard, *Poésie ininterrompue*, II, 1953. Autre exemple, chez Aragon :

Au confluent troublé du plaindre et de l'oiseau

Ô sable syllabaire impérissable empire
Signes que dit la lèvre...

Louis Aragon *Ode à Pablo Neruda* p. 17 N.R.F. Gallimard 1966.

a) Au premiers vers, le phonème /o/, initial et final, assure l'ouverture et la fermeture. A l'intérieur, le redoublement /tr-dr/ à dominante dentale encadre un redoublement à dominante labiale /bl-pl/ = figure de symétrie en miroir, dont le centre est occupé par l'article à dentale « *du* », repris en fin de vers par « *de* ». Ces redoublements créent un ordre interne au déroulement rythmique, où les consonnes, détachées relativement de leur fonction linguistique (constitution du mot), prennent une valeur de leur participation à une discipline du mouvement.

b) Dans le second, il s'agit d'autre chose = c'est d'abord le mot « sable » que l'on retrouve intégralement, mais comme suffixe de « impéris*sable* », cependant que le mot intermédiaire intègre en totalité dans sa formation les phonèmes constitutifs de /s-a-b/ ; singulière économie. L'unité sonore de l'ensemble est d'autant mieux soudée qu'aucun mot-annexe (liaison syntaxique) ne vient assurer le détachement entre eux des termes associés, la continuité est parfaite comme à l'intérieur d'un mot (cf. Mallarmé : « le vers refait un mot total »). A l'autre extrémité du vers, l'oreille perçoit rétrospectivement que le terme final n'est qu'un réaménagement des unités phonologiques qui constituent la première partie du terme précédent (impéri/empire). Ainsi deux « allitérations » se chevauchent, leur lieu de croisement est l'adjectif « impérissable », dont le statut syntaxique est par ailleurs indécis, suspendu entre l'avant et l'après. Le vers propose une lecture *sur le son*, sur une « hésitation entre le son et le sens » (Jakobson).

Rappelons qu'un syllabaire est un livre pour apprendre à lire qui oriente l'attention sur la décomposition en syllabes, repoussant au second plan la question du sens du mot, en tant qu'unité globale indissociable en ses éléments.

Au-delà de la limite d'un vers, l'allitération — plus exactement la reprise d'un même phonème formant une chaîne sonore — s'étend et se prolonge, au point de constituer la trame même du texte entier, guidant l'avènement même des mots, et du même coup commandant la pensée elle-même, autant que l'armature consonantique des vers :

Je t'appelle j'appuie
Ma langue à mon palais j'apprends
D'une profonde inspiration de l'air ton approche
Ton âpre empire ta présence déjà proche
Je pressens ta préséance obscure ta clarté
Ce pantèlement des pétales je prends
Par avance ton poids dans ma main
Comme d'un vin pour le verre
Ta légèreté comme d'une vapeur dansante
Sur les doigts comme le pas rythmé qui se pose à peine d'une prose
Je respire ton nom je répète

La rose

(Louis Aragon, Elsa, NRF, p. 92).

(Allitération continue de /p/, avec alternance /p-l/ ou /pr/.)

10. L'enjambement (ou rejet)

Le vers français s'étant constitué sur le fait que tout groupement syntaxique est *ipso facto* un groupement rythmique (c'est-à-dire marqué prosodiquement par l'accent et l'allongement de sa dernière voyelle), son unité mélodique et la pause, la limite du vers, signalée par l'accent le plus marqué et la pause la plus nette, se trouve donc nécessairement coïncider avec une limite de groupe. Tout franchissement de cette limite — quand un groupe *enjambe* la fin du vers pour s'achever dans le suivant — produit un effet remarquable de *suspension du souffle* (et de la pensée), motivée par la contradiction entre deux principes de segmentation, *syllabique et syntaxique*. « Tout se réduit à ceci : tandis que dans les vers ordinaires, on laisse tomber la voix à la fin de chaque vers, la voix reste soutenue et suspendue à la fin de ceux qui enjambent ; par là est éveillée l'attention de l'auditeur, qui reste dans l'attente tant que dure la pause ; puis, comme la voix n'a pas baissé, elle doit pour le rejet, augmenter d'intensité ou changer d'intonation. » (Louis Aragon)

Se contenter de dire, vaguement, que l'enjambement « met en valeur » un mot (exemple : « Je répondrai, Madame, avec la liberté/*D'un soldat* qui sait mal farder la vérité, » Racine), c'est masquer l'importance *rythmique* du phénomène. N'y voir schématiquement que le signe d'un conflit entre la contrainte et sa transgression, c'est méconnaître que l'enjambement n'efface nullement la limite du vers. Il en tire au contraire toute sa force, *quand la diction fait bien sentir le poids de la dernière syllabe du vers* : il s'agit moins de violer une règle, que de prendre appui sur une loi inhérente au fonctionnement prosodique de la langue, pour réaliser un équilibre, portant sur deux ou plusieurs séquences, et dont la condition est que soit maintenu sensible le cadre nettement délimité du vers. Dans les vers inégaux, non comptés ni rimés, de la poésie moderne, l'effet d'enjambement s'annule.

On appréciera les ressources diverses de l'enjambement, dans trois contextes, sur les exemples suivants pris à trois époques différentes de l'histoire de la poésie française :

1. *Les marques de sa cruauté*
Parurent avec l'aube ; on vit un étalage
De corps sanglants et de carnage.
Peu s'en fallut que le soleil
Ne rebroussât d'horreur vers le manoir liquide.

(La Fontaine, « Le Fermier, le Chien et le Renard », Fables XI, 3).

Le découpage des vers défie l'analyse en désarticulant les énoncés. Dans ce récit fabuleux, dont le champ de bataille est un poulailler, et le héros (comparé à Ajax !) un renard, La Fontaine fait une imitation parodique de l'épopée antique, et cette désarticulation y joue un rôle sur le plan rythmique : elle dégage, de fragments de phrases et de lambeaux de vers inachevés, un alexandrin solennel, parfaitement imités du grand style traditionnel.

2. *Ainsi vous parliez, voix, grandes voix solennelles ;*
Et Virgile écoutait comme j'écoute, et l'eau/
Voyait passer le cygne auguste, et le bouleau/
Le vent, et le rocher l'écume, et le ciel sombre/
L'homme... — O nature ! abîme ! immensité de l'ombre.

(Victor Hugo, Les Contemplations, « Mugitusque boum »).

Ici l'enjambement, trois fois réalisé dans des conditions identiques, à partir d'un parallélisme syntaxique qui permet l'ellipse du verbe, ne peut être ressenti comme une rupture ou une distorsion, mais au contraire comme une régularité nouvelle, fondée sur un aménagement où s'équilibrent réciproquement la mesure du vers et la syntaxe. La coupe finale du vers isole en deux séries parallèles : d'une part *l'eau*, le *bouleau*, *le ciel sombre*, de l'autre *le cygne*, *le vent* et *l'homme*. Le troisième terme de l'énumération est le seul à n'être pas concerné (« et le rocher l'écume »).

3. *Nuits de transhumance toits furtifs Tout m'est à la mémoire crypte*
Tout Égypte tout
Hiéroglyphe
Et peut-être bien que je dors dans une pyramide où
Les mots figurés couvrent les parois d'un
Châle tendre et doux
Que disent-ils à bouche close Eux
Qu'ignore l'oreille

(Louis Aragon, Les Chambres, 1969).

Toute trace de « mesure » fondée sur un compte numérique des voyelles ayant ici disparu, le discours n'est plus réglé au métronome, par un retour régulier de la rime. La rime cependant n'est pas absente : *crypte/Égypte, tout/d'(e) où, doux*, ponctuant des fins de vers. Et la disposition spatiale impose visuellement au lecteur des points d'appui rythmiques à respecter (accent, allongement, pause). L'enjambement est généralisé, il perd de ce fait cette valeur de rupture qu'il tenait de son rapport à une règle qui n'existe plus. Il sépare *tout* de *hiéroglyphe, où* — le relatif — de la proposition qu'il annonce, l'article *un* de son substantif, le pronom *eux* antécédent de sa proposition relative. Ce sont ces mots — proscrits en fin de vers dans la versification classique — qui portent l'accent principal et sur lesquels repose tout l'effet de suspension qui marque les fins de vers.

Au terme d'une longue évolution — dont ces trois exemples ne donnent bien entendu qu'une image très simplifiée, on peut constater que c'est la conception du traitement rythmique du discours qui a changé, dans son principe même, tant à propos des coupes intérieures que des limites finales de vers.

2. LES VARIÉTÉS DU VERS FRANÇAIS : STATISTIQUES, MÈTRES ET RYTHME

Chacun peut constater, en consultant une quelconque anthologie historique de la poésie française, que le nombre des variétés de vers utilisés est relativement restreint, à s'en tenir, bien entendu, à ce critère numérique du compte des syllabes, qui est la base de la nomenclature, — mais auquel le vers ne se réduit pas, comme nous croyons l'avoir souligné. L'établissement d'une sorte de moyenne, fixée par l'usage, qui fait que par exemple, à partir du xvie siècle, ayant supplanté le décasyllabe, l'alexandrin devient le vers dominant — occupant les trois quarts du domaine poétique, tandis que l'octosyllabe à lui seul occupe presque le quart restant... — aurait-il des fondements matériels dans certains traits propres à la langue ?

L'alexandrin, jusqu'au début du xxe siècle, a pu être considéré comme la limite supérieure. Ronsard le trouvait trop long : « Ils sentent trop la prose très facile... ils ont trop de caquet... »[1]

Mais la poésie contemporaine va au-delà : avec les « versets » inégaux de Claudel ou Saint-John Perse, où parfois les coupes syntaxiques découpent nettement les octosyllabes et les alexandrins familiers de la

---

1. Pierre de Ronsard, *Œuvres complètes*, t. XVI. Marcel Didier, Paris 1952, p. 331. *Préface sur la Franciade*, 1587.

métrique classique ; avec les « vers » de quinze ou seize syllabes rimés régulièrement, deux à deux, de Louis Aragon :

> *Tu m'as trouvé comme un caillou que l'on ramasse sur la plage*
> *Comme un bizarre objet perdu dont nul ne peut dire l'usage*
> *Comme l'algue sur un sextant qu'échoue à terre la marée*
> *Comme à la fenêtre un brouillard qui ne demande qu'à entrer*
>
> (*Le Roman inachevé*, « L'amour qui n'est pas un mot », 1956).

A la limite inférieure, on comprend aisément qu'en deçà d'une certaine dimension, l'aménagement d'énoncés offrant un sens, dans l'espace d'une strophe, soumis à la contrainte supplémentaire de la rime, relève de l'acrobatie. Le monosyllabe peut servir à la constitution d'une forme strophique, où il n'est qu'une reprise en écho de la rime :

> *Elle incline son cou de cygne,*
>   *Signe*
> *Qu'elle trouvait le vieux corbeau*
>   *Beau.*
>
> (Victor Hugo, *Toute la lyre*, « La blanche Aminte », 1829).

On trouve chez le même Hugo ce cas rare d'un poème en vers trisyllabiques, groupés en strophes régulières :

> *Même aux belles*
> *J'ai mépris,*
> *Et loin d'elles*
> *Mon cœur pris*
> *Laisse, en somme,*
> *Faire un somme*
> *Aux cerfs, comme*
> *Aux maris.*
>
> (« Le Prince Fainéant »,).

Des statistiques établissent que la longueur moyenne du mot dans la langue française oscille entre deux et trois syllabes (2,47) et qu'elle est plutôt de deux syllabes dans le vers (2,07). Ce qui semble prouver que le vers recherche le mot court,[1] si l'on en croit Pierre Guiraud.

A ces données statistiques il convient d'ajouter le fait que le groupe nominal inclut régulièrement l'article ou l'adjectif possessif, qui compte à lui seul pour une ou deux syllabes (*le-ciel*, *une-maison*).

Ces données sont abstraites ; elles permettent à l'auteur de l'ouvrage cité d'émettre l'hypothèse que le passage historique du décasyllabe à l'alexandrin s'explique par une mutation du vocabulaire du xvie siècle : « Apparition d'un grand nombre de mots nouveaux, généralement formes savantes qui ont échappé au procès de réduction phonétique ; disparition de monosyllabes amphibologiques ; disparitions de formes contractées ; multiplication des dérivés abstraits ; substitution de conjonctions et

---

2. *Langage et versification d'après l'œuvre de Paul Valéry*, Pierre Guiraud, 1953.

prépositions complexes aux vieilles formes monosyllabiques (ainz, jà, si, fors, es, lez) (p. 36). En bref, « la langue, moins dense, dit moins de choses avec plus de syllabes » (*id.*).

Ces considérations ne sont pas sans intérêt, mais le vers est fait moins de mots successifs, que de groupes accentuels dépassant les limites de mots — ceci en raison de la fonction particulière de l'accent en français (accent final de groupe, et non de mot). A ce sujet, le phonéticien Pierre Léon constate[1] que « les groupes rythmiques » (c'est-à-dire délimités par l'accent de groupe) français ne sont jamais très longs (en général 3 à 7 syllabes) ; qu'un groupe long tend à se séparer en deux groupes courts, dans un débit lent » (p. 65) ; « que les groupes rythmiques les plus fréquents en français égalent deux ou trois syllabes » (p. 70). Constatations qui l'amènent à conclure : « Il n'est pas étonnant que l'alexandrin soit le vers français par excellence »[1].

Il est pourtant douteux que des statistiques portant, par exemple, sur la poésie d'Apollinaire, ou sur la poésie depuis 1940, permettent encore d'affirmer que « le vers alexandrin est le vers français par excellence » ! Les résultats dépendent des limites qu'on s'est fixées à l'avance pour l'échantillonnage. Les statistiques, portant sur une période donnée, effacent un certain nombre de conditions. En particulier, celles qui font intervenir des jugements de valeur. Si je prends comme limite la période comprise entre 1900 et 1914, il est possible que l'alexandrin soit globalement dominant : mais c'est parce que les fabricants d'alexandrins en séries y sont beaucoup plus prolixes qu'Apollinaire, quoique pour beaucoup oubliés.

Peut-on même parler de l'alexandrin ou de l'octosyllabe, en tant que tels, c'est-à-dire en dehors de *leur* histoire, et des facteurs historiques qui poussent à leurs transformations ? Dans les alexandrins qu'on trouve dans la poésie contemporaine, on ne reconnaît pas nécessairement les schémas qui prétendent en représenter le modèle :

Exemple : *« La salamandre surprise s'immobilise*
La mer intérieure éclairée d'aigles tournants »[2]

De même, il y a loin des octosyllabes d'Apollinaire à ceux de la poésie classique.

Des statistiques, portant sur des entités numériques, ne peuvent nous fournir que des informations pauvres. Le nombre ne fait pas la raison du rythme. Dans le langage la mesure n'est qu'approximative. Le rythme est le mouvement du discours, c'est-à-dire de la pensée elle-même.

Cependant, il faut aussi souligner la part d'artifice — c'est-à-dire d'*art* — que le vers impose à la diction. Ainsi, le metteur en scène Antoine Vitez, à propos du problème posé à l'acteur par la diction des vers de Racine, insiste sur la fonction rituelle de l'alexandrin tragique : c'est un

---

1. *Introduction à la phonétique corrective*, Klincksieck, Hachette-Larousse, 1976.

2. « Métrique de l'alexandrin » d'Yves Bonnefoy. Benoît de Cornulier dans *Langue française*, fév. 1981 (analyses linguistiques de la poésie).

langage de cérémonie, une célébration du langage. Il y a des facteurs culturels qui font qu'un vers comme l'alexandrin a son histoire, jalonnée par des « révolutions » : celle de Hugo d'abord !

> ...Le vers, qui sur son front
> Jadis portait toujours douze plumes en rond,
> ...Rompt désormais la règle et trompe le ciseau,
> Et s'échappe, volant qui se change en oiseau,
> De la cage césure, etc.

(Contemplations, 1854, « Réponse à un acte d'accusation »).

et, plus tard, celle de Rimbaud, qui en prend le relais, en maltraitant à son tour cet alexandrin « rénové », puis redevenu avec le temps et sous l'autorité du même Hugo, une sorte de signe officiel de la poésie[1].

---

1. C'est ainsi que le juge Mallarmé, parlant de « la lassitude par abus de la cadence *nationale,* dont l'emploi ainsi que celui du *drapeau,* doit demeurer exceptionnel ». (*Variations sur un sujet,* éd. Pléiade, p. 362.) L'alexandrin est perçu comme une sorte d'institution, de valeur patriotique officialisée, d'où le traitement que leur font subir, par réaction, Verlaine et Rimbaud, et l'apparition du vers « libre ».

CHAPITRE IV

LA RIME : LE SON, LE SENS, LE RYTHME

1. LA RIME

Que la rime soit apparue, pendant des siècles, comme un attribut *naturel* de la poésie française — par exemple, selon Aragon : « la rime est l'élément caractéristique qui libère notre poésie de l'emprise romaine, et en fait la poésie française » (*Les Yeux d'Elsa*) —, c'est un fait rétrospectivement si considérable qu'on doit s'étonner du peu d'importance qu'on lui accorde dans l'enseignement. Et pourtant, outre un intérêt proprement historique (et même pour certains « anachronique », eu égard à l'état présent de la pratique des poètes), les problèmes soulevés par l'usage de la RIME touchent à des aspects fondamentaux de notre réflexion sur le langage. Elle est, dit Claudel, un « élément d'aventure et de fantaisie, si seulement nous arrivons à en faire un instrument non pas d'esclavage mais de liberté, et, au lieu de ce qui rive les forçats, un libre jeu de nymphes ou de jeunes filles se touchant et quittant le bout des doigts dans la plus aimable "chaîne des dames" ! »[1]. La métaphore évoque l'image d'une chorégraphie, où la rime jouerait le rôle essentiel, à la jointure des séquences de vers, chacune constituant pour son propre compte, une unité dans l'organisation des mouvements successifs.

• Étymologie

Commençons par l'histoire du mot, lequel semble se confondre, aux origines, avec le terme latin « rythmus »[2]. En ancien français : le verbe « rimer » signifie versifier un texte préexistant (« rimer un conte » ou « conter un conte par rime » — Chrétien de Troyes, XIIᵉ siècle). Au

---

1. Paul Claudel, *Réflexions sur la poésie*, NRF Gallimard, 1925.
2. Paul Zumthor, « Du rythme à la rime », *Langue, texte, énigme*, éd. du Seuil, 1975.

xive siècle apparaît la distinction entre deux manières de parler : « une qui est en prose et une autre qui est en rime » (Brunet Latin) ; pour bien rimer, il faut compter les syllabes : « amesurer les deux dernières... contrepeser l'accent et la voix... de façon que les rimes s'entraccordent par leurs accents » (*id.*). En provençal, au xive siècle, « rim » désigne un ensemble de deux vers, constituant une unité de cadence. La restriction du sens à l'homophonie finale de deux vers daterait du xve siècle : rime « masculine » (1405), « féminine » (1425), « riche » (1490). La confusion étymologique d'origine subsiste encore, du moins à l'état de trace dans l'orthographe, au début du xvie siècle, par exemple chez Clément Marot : « Ce rithmailleur qui s'allait enrimant, Tant rithmassa, rithma, et rithmonna, Qu'il a connu quel bien par rithme on a ». (Petite Epistre au Roy, 1518). La distinction entre les deux termes « ryme » (féminin) et « rythme » (masculin) est consacrée par Du Bellay : l'un désignant « la consonance de syllabes à la fin des vers », l'autre « tout ce qui tombe sous quelque mesure et jugement de l'oreille » (*Défense et Illustration de la langue française*, 1549).

2. LA RIME ET LE RYTHME

La rime semble née par nécessité rythmique, en tant qu'*instrument de mesure*, dès la disparition du vers quantitatif latin et son remplacement par le vers syllabique, autrement dit dès le passage du latin au français. La répétition sonore est une marque particulière d'insistance sur l'accent final qui clôt le vers ; elle impose un privilège hiérarchique à cette jointure rythmique, par rapport aux coupes et à la césure internes.

Ainsi la rime souligne d'une sorte de ponctuation sonore le moment rythmique décisif où, le parcours du vers accompli, s'opère le retour à la ligne pour un nouveau départ.

● Origines populaires

Lorsque se fixe le sens moderne — avec l'apparition de la forme verbale : « rimer avec », la versification française a trouvé, pour longtemps, la base de son système : *la rime est le facteur le plus immédiatement sensible de groupement des vers entre eux, et le groupement minimum est le couple* (couplet), scellé par l'homophonie terminale.

Claudel a remarquablement décrit la conséquence de cette « innovation » sur la pensée elle-même :

> *« Les poésies modernes ont apporté au vers un élément nouveau, qui est la rime. La parole humaine ne retentit pas dans le vide. Elle ne demeure pas stérile. Elle est une sommation du silence, elle appelle, elle provoque quelque chose d'égal ou de comparable à elle-même. Quand le poète a proféré le vers pareil à une formule incantatoire, il répond quelque chose dans le blanc. Le vers devient ainsi un moyen d'interroger l'inconnu, il lui fait une proposition, il lui offre une condition sonore d'existence... »* (id.).

Ce système de groupement à base binaire a des origines folkloriques ; il répond à un schéma simple : le « couplet » de danse médiéval se compose généralement de deux « grands vers » à césure (subdivisibles en quatre petits vers) : un antécédent descriptif (épique ou objectif) suivi d'un conséquent affectif (lyrique ou affectif), invitation à la danse, au chant, à l'amour. L'écho sonore, coïncidant avec l'accent final, assure la soudure des deux propositions complémentaires. Comme dans ce couplet médiéval :

> *Suis-je pas bien misér*able / *de passer ainsi mon temps ?*
> *Soit aux champs soit à l'ét*able / *on me dit incessamm*ent[1].

Sur cet exemple ancien de chanson populaire, on peut observer deux faits qui concernent la rime, son histoire, et son influence sur l'histoire de notre poésie :

1. le raffinement qui consiste déjà ici à faire rimer ensemble les deux césures internes (misérABLes/étABLe) — ce qu'on appelle « rime *brisée* »[2] —, montrant comment a pu s'opérer, par fragmentation, la diversification historique des types de vers et de strophes.

2. l'*alternance* entre les deux rimes : en *-able* [abl'] et en *-ent* /ã/ : féminine/masculine.

3. L'ALTERNANCE

L'alternance des rimes est un fait historique considérable puisque, pratiquée dès le Moyen Age, elle se généralise en système à partir du xvie siècle.

Elle consiste traditionnellement à opposer, dans la succession des couples de vers, deux vers à rime féminine à deux vers à rime masculine (présence ou absence d'un *e* caduc en finale).

L'enrichissement que procure ce système est évident : la base minimale du groupement de vers tend ainsi vers le quatrain, puisqu'un couple de vers de type A appelle nécessairement un couple corollaire de type B ; et à l'intérieur de cet ensemble de quatre vers une certaine mobilité devient possible dans les combinaisons : rimes *plates* ou *suivies* (aabb), ou *alternées* (abab), ou *embrassées* (abba).

---

1. Cité par P. Verrier, *Le vers français, formes primitives, développement, diffusion* (Didier 1931-1932, 3 vol.). L'auteur pose en principe que : « les formes de notre poésie s'expliquent bien souvent par leur origine, par leur emploi dans la danse en chœur, par leur accommodation au rythme du chant... Elles se sont conservées en cessant de servir à leurs fins primitives. On se trompe en leur attribuant des causes, des raisons purement esthétiques... Leur utilité première est dans *l'architecture du vers, de la strophe, du poème* » (p. 3).

2. Quand, à l'hémistiche d'un vers, est reprise la rime finale du vers précédent, on a une rime *batelée* ; ex. : « Mais battue ou de pluie ou d'excessive ard*eur* / Languissante, elle m*eurt*, feuille à feuille déclose. » (Ronsard).

Mais le fait essentiel est que, avec l'alternance, au principe d'identité (répétition du *même*), se mêle simultanément le principe de contradiction (le même *et* l'autre) : le système réunit dès lors la condition qui peut faire de la rime un facteur rythmique : « pour qu'il y ait phénomène rythmique il faut qu'il y ait contradiction, qu'il y ait à la fois le même et le différent ». (Jacques Roubaud, *Action poétique*, n° 60, 1975[1]).

● **Exemple :**

Dans la disposition (abba), un premier couple étant posé sur la base de l'opposition (ab), lui succède un second couple de sons identiques, associés sur la même opposition, mais dans l'ordre inverse (ba).

Sur le plan des intervalles de temps entre les retours sonores, nouvelle opposition : le retour de la rime (a) se fait attendre pendant trois vers entiers, l'autre intervalle ne couvre qu'un seul vers, — l'intervalle court se trouvant imbriqué dans l'autre, dans un rapport de contenu à contenant, d'intérieur à extérieur (on peut parler ici de rimes *intérieures* opposées aux rimes *extérieures* du quatrain).

Mais l'évolution du français parlé oblige à abandonner la nomenclature habituelle ; cette distinction des rimes féminines et masculines (à quoi se réduit encore toute la « science scolaire » sur le sujet), est devenue caduque, depuis que le *e* final du mot a cessé d'être effectivement prononcé. Déjà au début de ce siècle, Apollinaire proposait à juste titre de la remplacer par la distinction entre finales *consonantiques* et finales *vocaliques*, qui correspond à ce que l'oreille entend réellement. Car dans tout mot terminé par un *e*, c'est la consonne qui est devenue finale [ro*s*(e), pau*vr*(e)], et entre « miel » et « pelle », entre « net » et « nette », il n'y a plus de différence audible.

Ainsi, dans le sonnet de Ronsard « Comme on voit sur la branche, etc., » le lecteur d'aujourd'hui ne perçoit plus, entre d'une part *rose, arrose, repose, déclose*, et *fleur, couleur, odeur, pleurs* d'autre part, l'opposition traditionnelle, féminine/masculine, mais c'est au bénéfice d'une perception d'*oppositions phonologiques* plus essentielles à la perception musicale du poème : celle des deux consonnes /z/ et /r/, appuyée sur celle des deux voyelles /o/ et /œ/.

Si Aragon fait rimer « pur » avec « mûre », « désert » avec « misère » (*Le Crève-cœur*, 1940), ce n'est pas par faiblesse, ou par « licence » par rapport à un code désuet : c'est qu'il prend acte de l'état présent de la prononciation du français. (« Nous vivons aujourd'hui encore sur une idée du langage qui a vieilli. »[2])

---

1. Cf. Platon, « Le rythme résulte du rapide et du lent, d'abord opposés, puis accordés. » *Banquet*. « L'harmonie est l'ordre de la voix où l'aigu et le grave se fondent. » *Les lois* (665a). Cités par E. Benveniste, *Problèmes de linguistique générale*, I. NRF, 1966, Paris, p. 334 (La notion de « rythme » dans son expression linguistique).

2. Entretiens avec Fr. Crémieux, NRF Gallimard, 1964.

Prenons des exemples pour montrer que l'étude des rimes mérite plus d'intérêt qu'on ne lui en accorde :

● **Exemple 1**

Je suis un berceau   a
Qu'une main balance   b
Au creux d'un caveau   a
Silence ! Silence !   b

(Verlaine).

— le *e* étant caduc, l'alternance en fin de vers oppose la voyelle /o/ à la consonne /s/ (et non pas le masculin sans *e* au féminin avec *e*) ;
— le vocalisme /o/ (oral ouvert) alterne avec /ɑ̃/ (nasal, fermé) ;
— sur le plan de la durée, la voyelle orale est plus brève que la nasale, et la présence à la fin de celle-ci d'un /s/ insiste sur cette différence de durée.

L'alternance est donc sensible simultanément à trois niveaux.

Il faut ajouter que du vers 1 au vers 2, l'inversion de position du /s/, initial dans /so/, final dans /ɑ̃s/ ; si l'on pousse l'analyse jusqu'à la pénultième, on peut noter de BER-ceau à BA-lance une allitération consonantique (*b*) avec alternance vocalique (de /ɛ/ à /a/), qui s'inverse dans le couple de vers suivant en alternance consonantique (de /b/ à /K/) avec homophonie vocalique (/a/).

La « musique » des vers de Verlaine repose sur de telles subtilités, et s'il semble dans son art poétique traiter avec dédain la rime, ce « bijou d'un sou », il se garde bien pour son propre compte de l'abandonner, il en multiplie les effets par les moyens les plus raffinés.

● **Exemple 2**

Tourbillonnant dans l'extase
D'une lune rose et grise
Et la mandoline jase
Parmi les frissons de bise.

(Verlaine).

Les vers se terminent uniformément par la même consonne /z/, — mais cette uniformité, considérée ici comme base de groupement des quatre vers (pris ensemble) a simultanément comme effet de rendre plus sensible l'alternance vocalique (deux fois répétée) de /a/ à /i/. Le groupement des vers deux à deux se fait par opposition et identité. (Cette rime par homophonie consonantique, avec alternance vocalique, porte le nom traditionnel de « contre-assonance ».) S'y ajoutent, disséminés à l'intérieur des vers, des rapports sonores entre *rose* et *grise*, entre *grise*, *frissons*, et *bise* : comme si la fonction de cohésion sonore et rythmique, qui est celle de la rime, s'étendait au-delà de la place qui lui est strictement assignée, et se répercutait sur la structure sonore interne du vers.

- **Exemple 3**

Il arrive qu'une seule alternance de rime domine l'ensemble d'un poème : c'est le cas du poème de Baudelaire « Harmonie du soir ». Cet ensemble de quatre strophes de quatre vers chacune, à rimes embrassées, est un cas-limite : il repose d'un bout à l'autre sur la même alternance de deux rimes : /iʒ/ et /war/ (t*ige*, encens*oir*, s*oir*, vert*ige*, etc.) Entre les deux phonèmes vocaliques, l'écart est le plus grand possible : /i/ est une voyelle *antérieure fermée,* caractérisée par une fermeture vocalique maximale du canal buccal, ce qui lui donne un *timbre très aigu* ; « /a/ est une voyelle *postérieure ouverte*... avec un passage buccal large, un *timbre grave.* » Cette opposition vocalique fondamentale est favorisée et accentuée par les terminaisons consonantiques : « car les voyelles françaises, en position accentuée, sont sujettes à un allongement combinatoire devant certaines consonnes, à savoir les spirantes sonores /v/ /z/ /ʒ/, et aussi le /r/ final ».

Le /i/ est d'autant plus tendu/fermé aigu, le /a/ d'autant plus ouvert, grave que les consonnes finales qui les prolongent sont respectivement antérieure (/ʒ/) et postérieure (/r/)[1].

Ainsi, la régularité rythmique est chaque fois ponctuée, à la jointure finale, d'un vers à l'autre (là où l'accent est le plus fort, l'unité la plus longue), par la répétition du même mouvement de tension articulatoire, réalisé sur le même contraste phonique. A l'intérieur de chaque quatrain, la disposition « embrassée » (ab-ba), qui offre l'image d'une symétrie inversée *en miroir,* fait que le mouvement est réalisé deux fois successivement, mais alternativement dans l'autre sens : de t*ige* à encens*oir* (ab) c'est-à-dire de l'aigu ([-iʒ-]) au grave ([-war-]) — fermé/ouvert, tendu/relâché —, on passe au mouvement contraire de s*oir* à vert*ige.* Et à chaque passage d'une strophe à l'autre, l'ordre de cette alternance elle-même est encore inversé (str. 2 : encens*oir*/affl*ige*, puis vert*ige*/repos*oir*), si bien que, l'ensemble étant composé de quatre strophes, la disposition finale est exactement l'inverse symétrique de la première.

4. LE SON, LE SENS, LE RYTHME

La rime peut devenir l'objet d'études intéressantes, si l'on s'intéresse aux rapports du son, avec le sens, et le rythme.

Assimiler la rime au signal sonore qui nous avertit d'aller à la ligne quand nous tapons à la machine[2] ou à une loi répressive comparable à une paire de claques[3] ; ou encore poser le problème en termes simplement statistiques, comme exploitation d'un dictionnaire des rimes « dont les

---

1. D'après Bertil Malmberg, *Phonétique française* p. 34, 38, 47, éd. Hermods Malmö, Suède.

2. Michel Butor, *Essais sur le roman*, NRF idées, Paris 1969, Le roman et la poésie, p. 29.

3. Breton-Eluard, *Révolution surréaliste*, 1929, notes sur la poésie.

variétés possibles ont été depuis reconnues et exploitées jusqu'à l'épuisement et sont entièrement redondantes »[1] — c'est s'en tenir à une conception « mécaniste » des rapports du son et du sens, séparés, a priori, comme deux entités distinctes, alors qu'ils sont indissolublement liés dans une langue donnée, et que, pour la conscience de celui qui la parle, le signifiant et le signifié sont associés par un lien de nécessité.

Dans le poème précité de Baudelaire, ce n'est pas un hasard si les mots portés à la rime s'ordonnent selon une ligne de partage, déterminée par l'alternance phonique, en deux catégories sémantiques distinctes : d'un côté « tige, vertige, afflige, se fige, vestige », termes qui impliquent la vie, la sensation, la souffrance, le temps, la mort ; de l'autre « soir » et « noir », et surtout les trois termes qui désignent des objets de la célébration mystique de la messe : « encensoir, reposoir, ostensoir ». Ainsi se lit aux marges du poème, au lieu des ponctuations fortes et des retours alternés de sons identiques, un conflit où le sens est intimement impliqué.

Pour rattacher, comme nous l'avons fait jusqu'ici, la linguistique à l'étude de la poésie, rappelons que le linguiste R. Jakobson, pour illustrer sa définition de la « fonction poétique » (« l'accent porté sur le message en tant que tel »), analyse l'exemple d'un slogan électoral fondé sur la rime : I like Ike ; « procédé poétique de la paronomase », puisque « le second des deux mots est complètement inclus dans le premier ». La paronomase est définie dans la rhétorique comme une figure « qui réunit dans la même phrase des mots dont le son est à peu près le même, mais dont le sens est tout à fait différent »[2]. La lecture des affiches publicitaires offre quotidiennement au passant une moisson d'inventions verbales fondées sur la rime ou l'assonance.

Mais la rime a peut-être en nous des sources intimes. Le psychologue H. Wallon, dans son livre Les origines de la pensée chez l'enfant[3] consacre un article au rôle des « couples par assonance » : « La persistance des structures binaires dans les manifestations verbales de l'adulte, dit-il, montre quels besoins élémentaires et durables elles traduisent. Il serait inversement très utile d'étudier chez l'enfant l'équivalent de ces activités appelées poésie chez l'adulte, où se déterminent mutuellement les significations propres au langage et les besoins sensori-moteurs de rythme et de sonorité qui répondent à la formulation, à l'élan, au déploiement de nos activités. »

La rime met le poète dans la situation de quelqu'un qui, contraint de faire coïncider le point de jonction rythmique, la fin du segment d'intonation, avec un accord de sonorités, aménage son discours et l'organisation du sens. Il est cependant guidé dans une mesure qu'il contrôle plus ou moins par les hasards des correspondances phoniques, des

---

1. Pierre Guiraud, Essais de stylistique : la rime et les sources médiévales de la poésie formelle.

2. Les figures du discours, Fontanier, Flammarion, 1968, p. 347.

3. P.U.F. 1947, t. I, Première partie, p. 57-61.

homophonies ou homonymies approximatives, qui font s'associer les mots en des rencontres imprévues. *Le son appelle le sens* :

« ... il ne faut pas oublier, dit Aragon, que l'écriture du vers, chez ceux qui font le contraire de rimailler, pour qui la rime est PREMIÈRE, et non pas complaisance, l'écriture du vers commence par le mot essentiel appelé rime, et *la pensée se développe à partir du mot* (au bout du vers ou ailleurs) promu à la dignité de rime, c'est-à-dire de commande de la pensée »[1], ou encore : « ... elle trace des chemins entre les mots, elle lie, elle associe les mots d'une façon indestructible, fait apercevoir entre eux une nécessité qui, loin de mettre la raison en déroute, donne à l'esprit un plaisir, une satisfaction essentiellement raisonnable »[2].

Le langage courant, consignant la tradition séculaire de la rime, associe la *rime* et le *sens* comme deux termes complémentaires, dans les expressions « *ça rime à quoi ? ça rime à rien* ! » ou encore dans la formule « *sans rime ni raison* », où les deux termes juxtaposés sur le même plan sont donnés comme synonymes. Dans une expression comme « répression *rime avec* régression », c'est manifestement la « paronomase », qui justifie d'abord la rencontre, une homonymie approximative est réalisée à une unité distinctive près (/g/ remplaçant /p/) ; et le verbe « rimer avec » est pris comme équivalent sémantique de « signifier », de « est synonyme de ». Le « plaisir » de cette rencontre réside dans le fait de voir réalisée une équation imprévue entre le son et le sens, de voir le son et le sens réciproquement motivés dans l'équivalence. De ce point de vue, la rime peut apparaître à la limite comme une sorte d'hypothèse de circonstance (c'est-à-dire liée au contexte) sur le rapport entre homonymie et synonymie. C'est ce qui explique que les considérations sur les vertus de la rime ne sont pas nécessairement liées à la poésie dite « comptée et rimée »[3].

---

1. *Le réalisme de l'amour*, Jean Sur, éd. du Centurion 1966, p. 166-167. Dans les « *Poètes* », de Louis Aragon, p. 190-202, Gallimard 1960, on pourra lire le récit de la construction d'une strophe à partir de la recherche d'une rime. Dans *Les Yeux d'Elsa*, le titre, à première vue étrange d'un poème « C », n'est rien d'autre que la transcription littérale de la syllabe [se] qui sert de rime unique, désignant un nom de lieu « Les Ponts-de-Cé ». Bel exemple d'un texte construit *à partir et en vue* de la rime.

2. L. Aragon, *Les Yeux d'Elsa*, 1942, Seghers, p. 150-151.

3. La pratique de la rime intérieure (au vers) est ancienne, nous en avons montré quelques exemples ; mais certains poètes peuvent même avancer l'idée que l'abandon du vers à compte fixe de syllabes qui a pour corollaire l'abandon de la « rime » au sens classique du terme ouvre la voie à sa généralisation : « nous mesurons mieux aujourd'hui le sens de la rime par la généralisation de l'homophonie, des allitérations, des paronomases — des jeux de mots (depuis Joyce). Et que la rime ne doit plus être assignée à désinence mais *intérieure*, et cryptogramme de multiples manières. Comme le feu entre deux homologues, deux morceaux de bois par exemple, ainsi le sens peut jaillir de l'ambiguïté de deux homonymes devenant synonymes par la rime. La rime révèle la structure cratylienne des vocables. Elle éveille une plurivocité de *tout* mot, qui par elle (généralisée dans la paronomase) s'ouvre à toute la chaîne des homonymies possibles *cessant d'être accidentelles* : elle repeuple de sens la langue ; c'est l'invention poétique qui ainsi manifeste la sphère inépuisable des possibilités de significations d'un mot ». (Michel Deguy, *Actes*, NRF, Gallimard 1966, p. 66-67.)

5. L'HOMONYMIE, L'ANAGRAMME

La parenté entre la rime et le calembour (jeu de mots) est un fait anciennement reconnu et largement pratiqué, en praticulier par les rhétoriqueurs du XVIe siècle :

● **Exemple 1**

Brief, c'est pitié d'entre vous Rimailleurs,
Car vous trouvez assez de rime ailleurs,
Et quand vous plaît, mieux que moy rimassez,
Des biens avez et de la rime assez.
Mais moy, à tout ma rime et ma rimaille,
Je ne soutiens (dont je suis marry) maille.

(*Petite Epistre au Roy*, Clément Marot, 1519).

Ce type de rimes, dites « équivoques » ou « équivoquées » selon la nomenclature médiévale, consiste en ceci : un groupement de phonèmes formant un mot compact (*rimailleurs, ma-rimaille...*) étant posé en situation de rime, comme rime correspondante lui est proposé le même groupe, dans le même ordre (homonymie parfaite), mais *lu autrement*, par une sorte de dissection syllabique, qui fait apparaître dans le premier mot deux mots distincts.

On trouve ce genre de rimes dans la poésie ancienne, celle des troubadours, de Rutebeuf, de Villon, etc., mais aussi chez Verlaine, Mallarmé, Apollinaire, Desnos, Aragon, etc. Dans des recueils (de sa période surréaliste) *L'Aumonyme* et *Langage cuit* (1923) Robert Desnos applique le mécanisme à la construction interne du vers :

Autant pour les crosses, Évêques caducs qui baptisez les Eves aux aqueducs.

Le jeu sur l'homonymie : « crosse » du fusil, « crosse » de l'évêque, fait apparaître, dans la coïncidence de deux sens sous l'homonymie, l'idée d'une conjonction entre le militaire et le religieux ; d'autre part, le démontage des mots (*Évêques caducs/Èves aux acqueducs*), la redistribution des phonèmes, produit une rencontre qui associe un sacrement à une scène érotique. Une simple manipulation verbale révèle des suggestions sournoises dans les rapports du son et du sens.

● **Exemple 2**

L'amiral

1 *L'amiral Larima*
2 *Larima quoi*
3 *la rime à rien*
4 *l'amiral Larima*
5 *l'amiral Rien.*

(Jacques Prévert, *Paroles*, éd. Point du Jour, 1947)

Le texte a pour centre (au troisième vers) l'expression « la rime à rien » (la formule courante étant : « ça ne rime à rien ».). Elle ne survient pas par hasard, mais par une logique inexorable : du titre du poème (qui désigne un « titre » au sens militaire...), on tire le nom « propre » *Larima* en inversant l'ordre des lettres (anagramme à rebours). Ce nom « propre » a donc pour singularité de ne désigner personne..., il est le pur produit du nom « commun » dont il a été extrait. Interprétation et suggestion possible : le « titre » suffit à fabriquer la personne, ou il y a des gens qui n'existent que par leur titre ! Dans ce « mot » en apparaît un autre : le verbe « arrimer », terme de marine qui signifie : « fixer solidement la charge d'un navire ». « Larima quoi » peut se lire de deux façons : une interrogation sur le nom lui-même qu'on vient de forger ou encore : « (i)l arrima quoi ? » : question goguenarde, puisque, comme « la Môme Néant », il n'existe pas ! La réponse attendue se fait en dégageant l'autre lecture : *la rime à...* Et le mot « rien » s'impose par nécessité logique, et précisément, à la place qui est celle de la rime, mis en position d'équivalence avec le nom *Larima* (qui ne désigne effectivement rien). Si bien qu'on le retrouve tout naturellement, au dernier vers, prenant la place et la fonction du nom propre, assorti de la majuscule qui est le signe typographique de cette « promotion ».

Cette opération est exemplaire : le texte naît d'un *mot*, envisagé exclusivement en tant que groupement de phonèmes associés dans une unité, soumis à un traitement qui ne concerne que l'ordre de succession de ses constituants. Elle reproduit le mécanisme de formation des mots dans la langue par permutation des phonèmes, elle fait découvrir des mots dans les mots et des possibilités imprévues de significations.

- **Exemple 3**

Dans un registre tragique, lié aux circonstances de la guerre[1], Aragon propose un art poétique (dans « En français dans le texte », Neufchâtel 1943. Inséré dans *La Diane française*, éd. Seghers 1946, p. 91) fondé sur la rime :

> *Pour mes amis morts en mai*
> *...*
> *Que mes rimes aient le ch*arme
> *Qu'ont les l*armes *sur les* armes

Non seulement le mot « rimes » est le sujet grammatical de la phrase ·(= ce dont on va parler), mais il sert de guide au développement de l'énoncé (les termes « *charme, larmes, armes* » s'enchaînent par homophonie, comme si la rime conduisait, commandait la pensée), et de base à la formation du distique d'heptasyllabes dont elle marque, par répétition, les points d'articulation rythmique. Notons qu'à la voyelle près (i/a), on retrouve dans les trois mots qui « riment » les deux consonnes du mot

---

1. « A cette heure où la déraisonnable rime re-devient la seule raison. Réconciliée avec le sens. Et pleine de sens comme un fruit mûr de son vin. »

« rime » (r-m). L'exemple met aussi en évidence la parenté de la
« rime » et de la « paronomase » : le mot final, avant d'acquérir son
autonomie, est déjà contenu dans ch*arme* et l*armes*. Il en est, pour ainsi
dire « extrait ».

Le même poème contient cet autre distique :

Mots mariés mots meurtris
Rime où le crime crie

Le premier vers, au niveau de l'énoncé, juxtapose deux paraphrases
(synonymes, définitions) du mot « rime » ; au niveau phonique, on y
retrouve les constituants du mot (/m/ quatre fois, /r/ trois fois, /i/ deux
fois). L'essentiel est la mise en équivalence (équivalence de fonction) de
« *mariés* » et de « *meurtris* » : outre qu'il s'agit, dans le domaine des
faits, de dénoncer un meurtre bien réel (des amis fusillés), cela veut dire,
littéralement, dans le domaine des mots, que le « mariage » des mots
(c'est-à-dire la rime) implique le meurtre des mots. Ce que Louis Aragon
dit ailleurs autrement : que le travail poétique, dans son principe, est
« procès du langage, destruction et réinvention du langage ».

Quant au second vers, il procède entièrement d'une série de
paronomases : « rime » est inclus dans « c*Rime* » dont le mot de la fin à
son tour est extrait : « *CRI*me ».

Sur la base d'une conception étroitement mécaniste de la rime, on a
cru devoir reprocher à ce poète une régression néo-classique ; à quoi il a
beau jeu de répondre qu'au contraire il fallait une solide éducation
surréaliste pour retrouver dans la rime, usée par des siècles d'habitude,
un principe d'invention poétique ; « Une lettre de plus à la rime, c'est
une porte sur ce qui ne se dit point ».[1]

---

1. « La Rime en 1940 », *Le Crève-Cœur*, Gallimard 1946, p. 80.

BIBLIOGRAPHIE II
(le vers, le rythme, la rime)

Action poétique. — N° 62 1975, « Poésies en France : l'état du vers » J. Roubaud, n° 84, 1981 « La poésie, le vers » G. M. Hopkins, n° 85, 1981.

Aragon. — *Le Crève-Cœur,* « La Rime en 1940 ». *Les Yeux d'Elsa,* « Préface », 1942. *Entretiens avec* Francis Crémieux, NRF, 1946. *Les Poètes,* NRF, 1960.

E. Benveniste. — *Problèmes de linguistique générale,* NRF, 1966. (Tome I, p. 327 : « La notion de rythme dans son expression linguistique ».)

Cahiers de poétique comparée. — Vol. 1, fasc. 3 « Réflexion sur le fonctionnement du vers français », J.-Cl. Milner, 1973. — Vol. 3, fasc. 2 : « Métrico-phono-syntaxe : le vers français alexandrin (l'inversion) », Mitsou Ronat, 1975.

Change 3. — « Le Cercle de Prague », 1969.

Change 6. — « La poétique-la Mémoire », 1970. « Hypothèses 1972 : Trois entretiens et trois études sur la linguistique et la poétique : Jakobson, Halle, Chomsky. »

Change de Forme 1973. — « La destruction de l'alexandrin » J. Roubaud ; « Sur une théorie générale du rythme » P. Lusson ; « Mètre et phonologie » J. Guéron.

Paul Claudel. — *Réflexions sur la poésie :* « Réflexions et propositions sur le vers français », 1925. Idées-Gallimard.

Benoît de Cornulier. — *Théorie du vers,* Le Seuil, 1982.

D. Delas et J. Filiolet. — *Linguistique et poétique,* Larousse, 1973.

Robert Desnos. — « L'Aumonyme » dans *Domaine public,* NRF, 1923.

T.S. Eliot. — *De la poésie et de quelques poètes,* « La musique de la poésie ». Le Seuil, 1957, p. 27-44.

M. Grammont. — *Le vers français, ses moyens d'expression, son harmonie,* Colin.

P. Guiraud. — *Langage et versification d'après l'œuvre de Paul Valéry,* « Étude sur la forme poétique dans ses rapports avec la langue, » éd. Klincksieck, 1953. *Essais de stylistique,* éd. Klincksieck, 1969. *La Versification,* P.U.F., Que sais-je ?, 1970.

R. Jakobson. — *Essais de linguistique générale,* « Linguistique et poétique », éd. de Minuit, 1960, p. 209-248. *Six leçons sur le son et le sens,* éd. de Minuit, 1976. *Questions de poétique,* éd. du Seuil, 1973.

Langue française. — N° 23 1974, « Poétique du vers français », n° 49, 1981, « Analyses linguistiques de la poésie », n° 56, 1982, « Le rythme et le discours ».

P. Léon. — *Essais de phonostylistique,* Didier, 1971. *Introduction à la phonétique corrective,* Hachette-Larousse, 1976.

G. Lote. — *Histoire du vers français,* Boivin, 1951, Hatier, 1955.

Iouri Lotman. — *La structure du texte artistique,* NRF, 1973.

A. Leroi-Gourhan. — *Le geste et la parole : la mémoire et les rythmes,* Albin Michel, 1965.

J. Mazaleyrat. — *Éléments de métrique française,* Armand Colin, 1974.

H. Meschonnic. — *Critique du rythme : anthropologie historique du langage,* éd. Verdier, 1982.

J. Molino et J. Tamine. — *Introduction à l'analyse linguistique de la poésie,* P.U.F., 1982.

H. Morier. — *Le rythme du vers libre symboliste,* Genève, Presses Académiques, 1943-1944.

Ch. Nodier. — *Dictionnaire des onomatopées,* 1828, Éd. Trans. Europ. Repress, 1984.

Oulipo. — *La littérature potentielle,* Idées-Gallimard, 1973. *Atlas de littérature potentielle,* Idées-Gallimard, 1981.

Ezra Pound. — *A.B.C. de la lecture,* Idées-NRF, 1966.

Pratiques. — N° 21, 1978, « Enfant. École. Poésie ».

J. Roubaud. — *La vieillesse d'Alexandre,* « Essai sur quelques états récents du vers français », Fr. Maspero, 1978.

Théorie de la littérature. — Le Seuil, p. 143-154, « Rythme et syntaxe. Sur le vers ».

Youri Tynianov. — *Le vers lui-même - Les problèmes du vers,* U.G.E., 1977.

P. Verrier. — *Le vers français,* « Formes primitives, développement, diffusion », Didier, 1931-1932, 3 volumes.

Henri Wallon. — *Les origines de la pensée chez l'enfant,* tome I. Première partie, chapitre III : « Les structures élémentaires : couples par assonance ». P.U.F., 1947, p. 57-61.

R. Wellek et A. Warren. — *La théorie littéraire,* Le Seuil, 1971.

P. Zumthor. — *Langue, texte, énigme,* Le Seuil, 1975, p. 73-144.

CHAPITRE V

LA STROPHE
ET SES DIFFÉRENTES VARIÉTÉS

1. LA STROPHE

1. Définition

On retrouve dans ce mot le même sens déjà signalé à propos de « vers » : le verbe grec « -stréphein- » est l'équivalent du verbe latin « -vertéré- » dont la forme participiale « -versus- » a donné en français : « vers ». La même idée d'un « retour » est contenu dans « strophe » : un poème à strophes est constitué du retour régulier d'un groupement identique de vers, défini à la fois par le nombre (nombre de syllabes pour chaque vers, nombre des vers pour chaque unité strophique), et une disposition des rimes identiquement reproduite dans chaque groupe.

En d'autres termes, la strophe — comme le vers — est une mesure d'encadrement rythmique (à laquelle s'adapte la syntaxe du discours), dont le *vers* est l'unité de base et dont l'arrangement des retours de rimes est fondé sur l'*alternance*, facteur déterminant de cohésion.

Ce type d'organisation, à la recherche d'équilibres stables, dont le modèle est emprunté à la musique et aux mathématiques, tend à imposer la loi du rythme à la pensée elle-même, et la strophe tend à se constituer en *unité de sens* : l'unité rythmique devient le moule d'une ou de plusieurs phrases associées, et l'*enjambement* syntaxique d'une strophe à l'autre prend ici la même valeur à une autre échelle de rupture ou d'amplification, que celle qu'on peut observer de vers à vers. Il s'agit toujours d'un équilibre à réaliser entre métrique, structures syntaxiques, et formation du sens ; de faire coïncider des espaces préalablement délimités, définis par des nombres fixes (dénombrement des syllabes du vers, nombre de vers de chaque strophe) avec les masses que constituent les mots et les groupements syntaxiques (syntagmes, propositions, phrases), et de jouer à l'occasion sur les aléas possibles de cette coïncidence problématique.

2. Origines

Une telle organisation dénote la parenté originelle de la poésie et de la musique, et la recherche de structures permettant l'adaptation musicale. En grec le terme /-strophè-/ désigne une évolution complète du chœur dans l'espace de la scène (le « tour » qui le déplace d'un point à un autre ; et par extension analogique l'*air* sur lequel se règlent le pas de danse et le chant qui l'accompagne).

Cette origine est également attestée aux sources médiévales de la poésie française, dont les traces les plus anciennes qui nous sont parvenues sont des *chansons de danse* (caroles, branles), où hommes et femmes ensemble « main à main s'en vont faisant le tor (= tour) » (Le Verrier, *Le Vers français*). La danse se caractérise par la répétition en séries continues de la même combinaison de *pas*, et, à l'intérieur de cette combinaison le retour périodique d'un pas frappé. « Les temps marqués du rythme, les ictus, mesurent la musique ainsi que les mouvements, et ils incitent à se mouvoir avec art suivant les règles de la danse. » (*id.*).

Cette description (qui daterait du XIIIe siècle) convient exactement à la strophe poétique où sont transportées les règles de la danse. La nécessité de cette organisation n'a pas été mise en cause, même après que la poésie et la musique ont pris respectivement leurs distances[1]. Sans doute, la construction interne du vers, qui tient, d'une part, sur une répartition ordonnée dans le temps des retours de points d'accentuation (et où s'organisent, dans la mesure, les mouvements du discours) et, d'autre part, le système de groupement des vers entre eux par la rime, appellent-t-ils inévitablement à la formation d'ensembles organiques limités. Y trouvent leur place les rapports de mesure (durée), les alternances mélodiques (ascendant/descendant), les relais d'allitérations et d'assonances, d'appels sonores et de réponses en échos.

La nomenclature des différentes variétés de strophes ne mentionne que le nombre de vers : distique, tercet, quatrain, quintil, sixain, septain, huitain, dizain, onzain... Cette terminologie arithmétique, simple à retenir, ne rend évidemment pas compte de la diversité des types attestés ou virtuellement réalisables. La diversification se fait aussi sur la base de la combinaison des rimes, et de la quantité syllabique des vers choisis. Il y a loin d'un quatrain d'heptasyllabes à un quatrain d'alexandrins, et le sixain n'est pas le même selon qu'il est construit sur deux ou trois rimes, et selon la disposition adoptée.

Pour résumer, on peut dire que l'organisation du poème en strophes soutient une démarche où la reprise régulière des mêmes structures, jalonnée par le retour régulier d'intervalles de silences prolongés (marqués dans la typographie par des blancs) impose un ordre où s'équilibrent dans le déroulement du temps, des masses successives, organisées selon un modèle commun. Le système est fondé, comme la musique classique, sur la répétition (et parfois un refrain) qui est en fait la reprise d'un vers

---

1. On peut constater que la chanson se passe difficilement de la strophe.

entier, soit au début, soit à la fin, soit au milieu de la strophe, mais toujours à place fixe et qui renforce cette impression de continuité et de permanence qui rassure l'oreille et l'esprit ; c'est alors le discours tout entier qui s'organise *à partir de, en vue de*, ou *autour de* cette reprise.

2. RIME ET STROPHE

L'histoire de la diversification des strophes, de la recherche de modèles nouveaux, est liée aux recherches de combinaisons de rimes. C'est, nous l'avons dit, la nature binaire de la rime qui forma le groupement élémentaire en scellant l'unité de deux vers ; et c'est l'alternance [deux rimes de type (a) alternant avec deux rimes de type (b)] qui appelle ipso facto la formation d'un quatrain. Le recensement des formules strophiques, dès l'époque des troubadours, apparaît comme inséparable de celui des formules de rimes : « 39 espèces de rimes *et* 72 types de strophes », d'après un traité de 1356 ; des recensements ultérieurs montrent que ces chiffres sont très au-dessous de la réalité... La leçon à tirer de cette extraordinaire floraison, c'est que le travail « poétique » (à l'époque où commence à s'épanouir la poésie française) s'est donnée comme tâche d'élaborer des structures stables, susceptibles d'être répétées.[1]

3. LES VARIÉTÉS DE STROPHES

Devant l'impossibilité de faire un bilan exhaustif des formes attestées, nous bornerons notre ambition à décrire quelques types.

1. Le distique

La poésie latine offre un modèle fondé sur la répétition d'un couple de vers — le « distique élégiaque » de Tibulle, Properce... —, réunissant un vers long à un vers plus court (hexamètre + pentamètre), qui a trouvé en France un imitateur : André Chénier, composant ses *Iambes* en faisant alterner régulièrement un dodécasyllabe avec un octosyllabe. Le modèle est lié à certains sujets : la douleur, le deuil.

Le distique français ne prend véritablement valeur de strophe — réunissant deux vers de même modèle métrique — que parce que chaque couple de vers, associés par l'écho final, délimitant sur un rythme à deux temps un énoncé de sens complet, est séparé du suivant par un intervalle de silence. Ainsi s'équilibrent, sur la surface de la page, les masses écrites, alignées par paires égales, et les blancs qui les isolent. Cet isolement, sur fond de silence, confère à la parole, contrainte à la plus extrême concision, la solennité des sentences décisives. Le silence y prend (comme en

---

1. H. I. Marrou, *Les Troubadours*, Seuil, 1971.

musique) une valeur d'autant plus forte que sa fonction est double : conclusive, en ce qu'il marque une limite pour le fragment rythmique et pour la pensée qui s'achèvent, et suspensive, car il est ressenti, non comme un temps mort, mais comme un temps d'attente, un vide qui n'est en fait qu'un appel, le lien de nécessité d'un distique à celui qui doit venir le compléter inévitablement.

On en trouve des exemples dans *les Fleurs du Mal* : « Abel et Caïn », « Les Litanies de Satan », où chaque couple prépare l'avènement du même refrain, isolé dans la typographie ; chez Verlaine : « Colloque sentimental », etc. Dans la poésie moderne, l'exploitation de ce modèle rythmique est attesté chez Apollinaire : « La Loreley » dans *Alcools*, et fréquent chez Aragon, depuis ses poèmes de guerre jusqu'à sa production la plus récente (Le *Roman Inachevé*, *Le Fou d'Elsa*, *Les Poètes*, etc.).

Ce modèle semble n'avoir rien perdu de ses vertus pour des poètes qui ont abandonné la rime (comme Eluard ou Guillevic...).

Sur les champs un ciel étroit	Sur le ciel tout ébréché
Soc du néant sur les tombes	Les étoiles sont moisies
Au tournant les chiens hurlant	Allez donc penser à l'homme
Vers une carcasse folle	Allez donc faire un enfant
Au tournant l'eau est crêpue	Allez donc pleurer ou rire
Et les champs claquent des dents	Dans ce monde de buvard
Et les chiens sont des torchons	Prendre forme dans l'informe
Léchant des vitres brisées	Prendre empreinte dans le flou
Sur les champs la puanteur	Prendre sens dans l'insensé
Roule noire et bien musclée	Dans ce monde sans espoir

(Paul Eluard, *Poésie ininterrompue*, 1946).

2. Le tercet

Avec le groupement des vers en série de trois unités surgit le problème d'y adapter le système des rimes, de combiner l'impair et le pair. La solution la plus pauvre consiste à faire rimer ensemble les trois vers d'un même groupe. Sinon, il reste nécessairement une rime orpheline, au seuil de l'intervalle de silence, et qui est en droit d'attendre son écho dans la strophe suivante.

Autre exemple :   *Je suis la croix où tu t'endors*   a
                      Le chemin creux qui pluie implore   a
                      Je suis ton ombre lapidée   b

                      Je suis ta nuit et ton silence   c
                      Oublié dans ma souvenance   c
                      Ton rendez-vous contremandé   b
                      ...

(Le Tiers Chant dans *Le Fou d'Elsa*, Aragon, 1963).

Dans ce modèle (qui est celui des sonnets marotiques), la disposition des rimes produit un parallélisme (aab/ccb) entre les deux groupes. Cependant on peut y voir en même temps la succession de : un distique à rime plate + un quatrain à rimes embrassées enjambant la frontière de strophes.

La solution la plus originale, celle qui semble exactement adaptée à une succession de tercets au point de n'être concevable nulle part ailleurs, qui montre le mieux comment le poète utilise la difficulté même pour inventer une solution heureuse, et comment l'exploitation des ressources de l'alternance dans un cadre fixe crée littéralement le modèle de strophe où la combinaison des deux facteurs fixes (nombre de vers, disposition des rimes) devient indissoluble, c'est la « terza rima » de Dante dans sa *Divine comédie* :

aba/bcb/cdc, etc.

A part la première, chaque rime est en effet *triplée*, mais on évite la rime plate. A chaque tercet, entre les vers 1 et 3 associés par l'écho final, apparaît une suggestion de rime qui reste en suspens. Elle est reprise au tercet suivant, mais en position inverse, comme rime dominante, enfermant à son tour la rime nouvelle qui va prendre le relais. Ainsi l'oreille perçoit dans la répétition, réalisée trois fois (en plus des alternances phoniques continues) un autre mouvement d'alternance qui assure à la fois la stabilité de la strophe et l'enchaînement de l'une à l'autre, par la reprise d'une rime antérieure en position inversée.

Dans la poésie française, le modèle est attesté chez A. de Vigny (« Les Destinées), Th. Gautier (« Ribeira »). Il arrive même que le modèle dantesque soit expressément revendiqué, et qu'ainsi l'imitation prenne un *sens*, au regard de l'histoire :

...
Je tresserai l'enfer avec le vers de Dante
Je tresserai la soie ancienne des tercets
Et reprenant son pas et sa marche ascendante

Que brûle ce qui fut avec ce que je sais
Je tresserai ma vie et ma mort paille à paille
Je tresserai le ciel avec le vers français

Je suis le Téméraire au soir de la bataille
Qui respire peut-être encore sur le pré
Mais l'air et les oiseaux voient déjà ses entrailles

Pour m'ouïr il n'est plus que soldats éventrés
Déjà mes yeux sont pleins de vermine et de mouches
La nuit emplit déjà mon corps défiguré
...

(« Le Téméraire », Aragon, *Le Roman inachevé*, NRF Gallimard, 1956).

3. Le quatrain

Si le groupe formé de quatre vers unis par la même rime est rare, la combinaison (aabb) assez peu attestée, les formes d'utilisation les plus courantes sont à rimes croisées (abab) ou embrassées (abba) : leur avantage est de fonder l'unité de groupe, non sur la simple succession/addition des éléments sonores, mais sur une organisation des temps de retour de l'écho qui favorise un rendement maximum de la valeur suspensive de la rime, tout en assurant parfaitement la clôture : toutes les attentes sont comblées. Nous avons noté que dans le cas de « Harmonie du soir ». Baudelaire exploite en plus la ressource d'une alternance de position d'une strophe à l'autre (échange par inversion des positions respectives : abab + baba +, etc.) ; mécanisme qu'il utilise aussi dans certains sonnets à rimes embrassées : la rime interne (enfermée) du quatrain I devient au quatrain II la rime externe (abba + baab. Cf. « La Vie antérieure »).

4. Le quintil

Est une strophe courante du Moyen Age à Ronsard, familière à Apollinaire (« Chanson du Mal Aimé ») et à Aragon, la combinaison du pair et de l'impair imposée par les limites (il ne peut y avoir que deux rimes, dont l'une est triplée) favorise une diversification des séries : ababa (Ronsard), abaab (Lamartine), abbba ou abbaa ababb (toutes attestées dans l'œuvre d'Aragon, remarquable jongleur de rimes), qui semblent obéir à une même constante : réussir à combiner ensemble, et plutôt par imbrication réciproque, par simple juxtaposition, les trois modalités possibles d'association des rimes deux à deux plates, alternées/croisées, embrassées, compte tenu qu'on aura nécessairement une rime redoublée et une rime triplée.

Ce n'est pas un hasard si les poètes contemporains qui ont entrepris de revivifier ce très ancien modèle de strophe ont une prédilection pour la première combinaison :

Les brebis s'en vont dans la neige
Flocons de laine et ceux d'argent
Des soldats passent et que n'ai-je
Un cœur à moi ce cœur changeant
Changeant et puis encore que
[sais-je

(Apollinaire, *Alcools*, « Marie », 1920).

Il y a ce soir dans le ciel
Veiné d'encre et de rose Nil
Ce ciel vanné ce ciel de miel
Ce ciel d'hiver et de vinyle
Des vols de vanneaux qui le
[niellent

(Aragon, *Les Poètes*, 1960).

Et, en effet, dans cette série ababa éliminant les rimes plates, l'alternance est poursuivie sans faille, et la dernière rime renvoie l'écho à la première.

Mais, simultanément à cette présentation linéaire, on peut percevoir une autre figure : celle d'une symétrie en miroir dont la rime médiane (au vers 3) serait le centre de distribution ; c'est un quatrain à rimes embrassées ab-ba où l'on a intercalé un vers supplémentaire, rimant avec les deux extrêmes. L'oreille enregistre cette double lecture qui enrichit la perception des retours d'échos.

5. Le sizain, le septain, etc.

On pourra poursuivre l'examen à propos de strophes plus étendues, le bilan permet de confirmer que, pour ne s'en tenir qu'à la rime, elle contribue pour sa part, dans l'organisation des rappels sonores en fins de vers (ce qui est décisif pour la perception de l'ensemble), à la formation de structures cohérentes, excluant par conséquent les combinaisons qui se formeraient par répétition et succession inorganiques :

Exemple : *le* sizain *(ou sixain) de Ronsard : aa bccb (chez Aragon, quand il le construit sur deux rimes abbaba : quatrain « embrassé » prolongé en rimes croisées, ce qui ramène au vers final la rime du premier).*
le septain *de Ronsard : aabcbcb* (« O fontaine Bellerie »).
les dizains *de Hugo : ababccdeed* (« Les Mages »).

4. RYTHME ET SYNTAXE

Si décisive qu'a été sa contribution à la formation des unités de strophes, la rime n'est pourtant qu'un des facteurs — mêlé indissoluble-ment à d'autres — du rythme ; c'est l'élément régulateur, un métronome approximatif, par ailleurs ni suffisant ni nécessaire. Elle n'est pas isolable de tout ce qui globalement contribue à la formation du sens : pas seulement un « son », mais une syllabe de mot (ou plus), liée au sens de ce mot, lequel a été porté à cette place par l'ensemble du mouvement syntaxique. « La fonction de la rime, dit Jakobson, n'est pas d'être rime, si l'on comprend par ce mot une structure ornementale surajoutée à des structures syntaxiques déjà existantes ; bien au contraire, elle est le *produit* de cette organisation supérieure. »
Le mouvement syntaxique est un facteur déterminant dans l'exacte mesure où il comble en répartissant les temps forts et les segments mélodiques ascendant/descendant, les espaces que lui proposent le vers et la strophe.

● **Exemple 1**

Il se déguise en vain / je lis sur son visage,
Des fiers Domitius / l'humeur triste et sauvage.
Il mêle avec l'orgueil / qu'il a pris dans leur sang,
La fierté des Nérons / qu'il puisa dans mon flanc.

(*Britannicus*, Racine, Acte I, scène 1 vers 35-38).

On constate immédiatement que le découpage en deux phrases s'adapte au couplage des vers : chacune occupe deux vers rimés, chacune répartit ses éléments avec exactitude sur les deux vers, conformément aux modèles de segmentation (mesures) que l'alexandrin peut offrir — compte tenu des exigences d'un code qui a sa valeur pour l'époque — avec un temps fort privilégié au centre (le sixième) et des « coupes » secondaires mobiles à l'intérieur des hémistiches, correspondant à des accents moins marqués. La hiérarchisation progressive des accents est motivée, dans un premier temps, par l'attente de la terminaison de vers, prolongée ensuite (l'insatisfaction de sens de la phrase à compléter crée un appel) jusqu'au « point d'orgue » scellé par la rime et la fin de la phrase. Sur ces deux phases successives, le mouvement mélodique est réparti en phases ascendante, puis descendante, la seconde correspondant au sentiment de l'imminence de la fin, à mesure que le sens se complète, et du repos de la voix.

Du point de vue de l'alternance : temps marqués/non marqués, et répartition des segments accentuels.

(Premier couple de vers.)

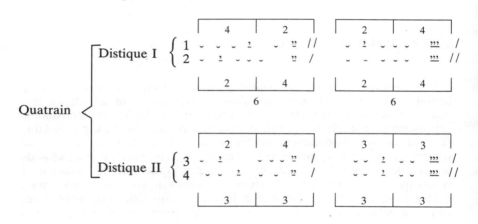

Du point de vue mélodique : différence relative de « hauteur » du début à la fin de chaque segment accentuel, puis de segment à segment, puis de vers à vers, dans chaque distique, avec inversion du second vers de la tendance (ascendante / déclinante).

Cependant l'étroite interdépendance des deux phrases (motivation de syntaxe et de sens) tend à donner au lecteur le sentiment d'un quatrain : la seconde est le développement de la première, elle énonce l'objet et le résultat de l'acte de « lire » (prolongement développé, avec rappel du premier complément énoncé au vers 2). La cohésion est renforcée par la répétition « fiers-fierté », et par l'anaphore « leur ».

(Ce n'est pas l'usage d'analyser les tirades du théâtre classique du point de vue d'une poétique rythmique ; ce n'est pourtant pas leur aspect le moins voyant que cette espèce de rangement des parties du discours dans des cases rectangulaires aménagées, dans des cadres de mesure. Sans doute évite-t-on de le voir pour des raisons idéologiques (la vieille et tenace distinction de la *forme* et du *fond*), et faute de s'être donnés les instruments de l'analyse. Mais dépasser l'idée de simples alignements successifs par paires alternées, c'est un premier pas. La tirade dont nous extrayons ces quatre vers est divisible en quatrains que la syntaxe même dessine, il n'y manque que l'intervalle typographique. C'est dans ce cadre, au minimum, qu'on peut commencer à apercevoir l'interaction de la syntaxe et du cadre métrique dans la formation rythmique. La première phrase de cette tirade a dès l'abord donné cet élan de mesure : elle coïncide avec l'ensemble de quatre vers, elle étage ses parties en fonction des emplacements que lui soumet le cadre vide du mètre, et son moment principal — la particule logique « Mais » qui la divise en deux — *marque* le passage d'un distique à l'autre, qui est aussi celui de l'alternance.) (*id.* v. 31-58)

Ce que nous cherchons ici, au niveau de la strophe, c'est à compléter ce que nous avons dit des aspects prosodiques (quantité et qualité), pour y introduire la dimension syntaxique qui est déterminante, car la langue n'est pas un assemblage de sons, mais une sorte de machine à produire du sens. Le rythme ne peut donc se réduire aux combinaisons de sons, ni au vers en lui-même, qui n'est qu'un cadre métrique vide, ni à la syntaxe seule : il y a toujours interaction, et dans cette interaction renforcement réciproque. Il faut chercher à comprendre *comment la rencontre de la syntaxe et du vers permet de convertir les syntagmes constitutifs de la phrase en unités de valeur rythmique.*

L'intégration syntaxique, dans la formation de vers, dans notre exemple, a pour principe l'*inversion*, — et plus précisément l'antéposition systématique du complément à préposition (*sur, des, avec*). Ce changement de l'ordre du mouvement syntaxique a pour effet d'accentuer les articulations du vers : coupes et césure. Par exemple, par rapport au verbe « Je lis », le rapprochement, à proximité immédiate, du complément à préposition « sur son visage », détache et isole sur toute la longueur du vers suivant son complément d'objet. Et, dans ce second vers, une nouvelle antéposition, celle du complément de nom, projette au second hémistiche, en position tonique forte, le syntagme majeur : « l'humeur triste et sauvage ». Les deux inversions successives renforcent la conscience de la dépendance syntaxique, creusent des écarts entre les segments dont les terminaisons viennent coïncider avec les temps forts (césure, fins de vers et rimes), imposent des accents d'insistance sur les prépositions, — et surtout établissent des rapports de hiérarchie et de valeur qui orientent le mouvement rythmique. Dans le second couple de vers, l'inversion du complément « *avec...* » a pour effet : d'une part, de mettre en parallélisme à la césure « *fiers* Domitius/*fierté* des Nérons », et, d'autre part, de porter aux seconds hémistiches, en positions majeures, deux relatives constituant un parallélisme rigoureux (métrique, syntaxique, phonique, sémantique) : « qu'il a pris dans... qu'il puisa dans... ». Ce parallélisme final est le produit et l'accomplissement d'une démarche cohérente à tous les niveaux : logique du sens, de la syntaxe, du rythme, unifiant la strophe. La dépendance syntaxique, par rapport au verbe « Il mêle », du premier complément au second, assure à ce dernier un privilège de valeur (le discours d'Agrippine est égocentrique). L'aboutissement de la démarche, son *dernier mot,* est condensé dans la conjonction à la rime des deux termes « sang » et « flanc » (hérédité lointaine/hérédité immédiate), précisé par le rapport connexe entre « leur » et « mon ».

● **Exemple 2**

Prenons une strophe de Victor Hugo.

Je suis fait d'ombre et de marbre. a	*(Pour la compréhension, il faut*
Comme les pieds noirs de l'arbre, a	*tenir compte de la date : depuis*
Je m'enfonce dans la nuit. b	*le coup d'État de Napoléon III,*
J'écoute, je suis sous terre ; c	*le poète est exilé. Cf. str. 2 :*
D'en bas, je dis au tonnerre : c	*« Moi qu'on* nomme *le poè-*
Attends ! Ne fais pas de bruit. b	*te/Je* suis *dans la nuit muet-*
	te/L'escalier mystérieux.)

(« Quatre vents de l'Esprit », avril 1854).

Il s'agit d'un *sizain d'heptasyllabes.* Le système des rimes est représenté par le schéma aabccb, lequel tend à suggérer un partage de l'ensemble en deux sous-ensembles : un distique à rimes plates + un quatrain à rimes embrassées : telle est, effectivement, la démarche de l'oreille, au fur et à mesure qu'elle enregistre les retours d'échos et que se révèle progressivement à l'esprit la loi de leur combinaison.

Cependant la syntaxe discursive (= celle du discours qui règle l'enchaînement des phrases) procède d'un ordre différent : elle répartit les pauses principales conformément à l'organisation des phrases (groupements de proposition et unités de sens) :

— elle isole le premier vers, en tant qu'énoncé de base (construit sur une métaphore dont l'ensemble du poème sera le développement) ;

— elle réunit en un couple (unité rythmique à deux temps) les deux vers suivants par la comparaison : « Comme... Je... » ;

— les trois vers restants sont groupés en une seule phrase.

La progression rythmique, dessinée par les proportions croissantes des groupes dont les frontières sont déterminées par les pauses syntaxiques, procède par amplification (1 + 2 + 3). Elle est indépendante du groupement des rimes : les pauses principales ne correspondent ni aux retours, ni aux changements de rimes : les deux *grilles* ne se recouvrent pas. Le vers 1, isolé par la syntaxe (le « point »), est réuni au second par la rime, lequel est lié par la syntaxe au troisième avec lequel il ne rime pas ; et, malgré la pause centrale qui partage la strophe en deux moments distincts (3 × 2), la rime « nuit », enjambant cette limite, ne trouvera son écho que trois vers plus loin.

Si, d'autre part, nous examinons la structure de chaque vers (accents, coupes), et le mouvement rythmique qui se propage de vers à vers, dans une variation continue, pour constituer un ensemble cohérent, on obtient le schéma suivant :

1	˘ ˘ ˊ / ˊ ˘ ˘ ˋ //	3 — 7 — 4	1
2	˘ ˘ ˘ ˘ ˊ / ˘ ˋ //	5 — 2	2
3	˘ ˘ ˊ (˘) ˘ ˘ ˋ ///	4 — 3	3
4	˘ ˊ (˘) / ˘ ˘ ˘ ˋ //	3 — 4	4
5	˘ ˊ / ˘ ˘ ˘ ˘ ˋ //	2 — 5	5
6	˘ ˊ / ˘ ˘ ˘ ˘ ˋ ///	2 — 5	6

Dans le cadre de l'heptasyllabe, le déplacement de la coupe et de l'accent permet les combinaisons suivantes : (2 + 5), (3 + 4), (4 + 3), (5 + 2) — sauf le cas d'un monosyllabe isolé. On observe, dans notre exemple que presque toutes les combinaisons possibles sont effectivement réalisées : vers 1 : 3 + 4 ; vers 2 : 5 + 2 ; vers 4 : 3 + 4 ; vers 5 et 6 : 2 + 5. Du point de vue de la coupe, les vers 1 et 4 se correspondent, mais non du point de vue de l'accent qui porte sur la troisième syllabe dans le premier, sur la deuxième, dans le quatrième à cause du /ə/ qui occupe la troisième position, et doit être compté, mais ne peut être accentué malgré la proximité de la coupe. Entre le vers 2 et les deux vers finaux, le parallélisme est inversé (5 + 2) (2 + 5). Enfin, le vers 3 dont la rime est au centre de la strophe, ponctuée par une pause syntaxique décisive qui partage l'ensemble en deux parts égales de trois vers chacune, présente une figure rythmique particulière : la présence en quatrième position d'une syllabe à /ə/ finale de mot, comptée mais non accentuée, découpe le vers en deux segments homologues (nombre d'unités et pose de l'accent), (˘ ˘ ˊ), la syllabe à /ə/ occupant la position centrale.

En résumé, l'entrecroisement des structures (celles du mètre, de la rime, de la syntaxe) forme un réseau d'une grande mobilité. Si la combinaison systématique des rimes contribue, pour sa part, à l'encadrement du texte en un tout organisé, ménageant pour l'oreille des repères de mesure du temps, les pauses syntaxiques (fins de phrases) découpent, de leur côté, un regroupement des unités métriques qui ne coïncide pas avec le premier, répartissant les vers en groupes de proportions régulièrement croissantes. Ce mouvement d'amplification, qui a pour effet une accélération du *tempo*, est par ailleurs soutenu par la répétition de la même formule d'énonciation (je + verbe), présente une fois dans chacun des groupes I et II (Je suis fait... Je m'enfonce), trois fois dans le groupe final, lui-même constitué de trois vers (J'écoute/Je suis sous.../Je dis...). Enfin, dans la confrontation des figures rythmiques qui se succèdent de vers à vers dans une variation continue, on perçoit deux moments décisifs : celui du troisième vers qui prépare la pause centrale de la strophe, caractérisé par la répétition de deux segments homologues (jĕ-m'ĕn-fŏn-(če)-dăns-lă-nŭit), — figure isométrique du repos et de la négation du mouvement ; celui de la conclusion, marquée par le parallélisme des deux vers finaux (2 + 5) : le parallélisme est fréquent en fin de strophe ; après une série de variations, il signale l'immobilisation du mouvement dans la répétition, et préfigure le « point d'orgue ».

CHAPITRE VI

LES POÈMES A FORMES FIXES

Le principe qui consiste à soumettre la construction du vers, celle de la strophe, les combinaisons de rimes à des nombres fixes a trouvé son extension logique dans la diversification des formes de poèmes, à l'époque médiévale. Le poème se présente alors comme le produit d'un travail, la solution d'un problème, où le mérite est proportionnel à la rigueur des contraintes qu'on s'est délibérément imposées, étant bien entendu, d'autre part, que le langage n'est pas une matière malléable comme celle du potier, et qu'en fin de compte, c'est lui qui détient les solutions.

1. LES VARIÉTÉS

1. Le carmen quadratum

Chaque vers doit contenir autant de lettres que le poème entier contient de vers ; il est donc rigoureusement inscriptible dans le quadrilatère[1].

2. La sextine

Poème de six strophes de six vers chacune, plus une demi-strophe (= « envoi », ou en italien « tornada »). La première est construite sur deux rimes : le premier vers rime avec le troisième et le quatrième, le second avec le cinquième et le sixième (abaabb) ; figure déjà remarquable car les deux rimes étant proposées en alternance (ab), elles doivent se retrouver redoublées successivement et dans leur ordre d'apparition. Pour comble de complication, les mêmes « mots-rimes », apparus initialement dans l'ordre 123456, doivent se retrouver dans la strophe suivante dans l'ordre 615243... et ainsi de suite. Ces six « mots » dans la demi-strophe finale, doivent reparaître à raison de deux par vers, dans le même ordre qu'à la première strophe, et de telle sorte que ceux qui se présentaient aux vers pairs (246) forment les rimes de ce tercet final.

Ces savants calculs sont attribués au troubadour Arnaud Daniel (XIIe siècle). La formule a intéressé Dante et Pétrarque..., et, plus près de nous le poète américain Ezra Pound. Les poètes français groupés dans l'Oulipo y reconnaissent l'exploitation d'un modèle mathématique applicable à la production de séries numériques par permutation en « spirale » ou en « hélice »[2].

---

1. Mentionné dans *Change de Forme* de P. Zumthor, Colloque de Cerisy, 10-18-1973, p. 219.

2. Oulipo. *Atlas de littérature potentielle*, NRF Gallimard, 1981, p. 243.

3. La villanelle

Divisée en tercets : le premier vers du premier tercet sert de vers final au second et au quatrième ; son troisième vers termine les troisième et cinquième tercets ; ces deux vers forment aussi la conclusion de la dernière strophe qui est un quatrain. L'ensemble est construit sur deux rimes seulement, et d'un bout à l'autre sur le même schéma : aba.

4. Le rondeau

Composé de trois strophes, sur deux rimes. Les strophes ont le même refrain, qui n'est que la reprise du premier membre syntaxique du premier vers. La strophe centrale comporte un vers de moins que les deux autres.

Exemple : *Dedans Paris, ville jolie,*	a	
Ung jour, passant mélancolie,	a	
Je prins alliance nouvelle	b	I
A la plus gaye demoiselle	b	
Qui soit d'icy en Italie.	a	
D'honnesteté elle est saisie,	a	
Et croy, selon ma fantaisie,	a	II
Qu'il n'en est guères de plus belle	b	
Dedans Paris.	a	
Je ne la vous nommeray mye,	a	
Sinon que c'est ma grand amye ;	a	
Car l'alliance se feit telle	b	III
Par ung doulx baiser que j'eus d'elle,	b	
Sans penser aulcune infamie,	a	
Dedans Paris.	a	

(Clément Marot[1])

5. La ballade (du vieux verbe « baller » = danser)

Comprend trois strophes semblables, plus un « Envoi » plus court de moitié, et qui, comme son nom l'indique, est une sorte de dédicace au destinataire du poème (Dame ou Prince). *Chaque strophe est composée d'autant de vers que chaque vers compte de syllabes* (ex. : huitains d'octosyllabes ou dizains de décasyllabes) ; elles sont toutes construites sur les mêmes rimes dans la même disposition. Le même vers revient comme refrain à la fin de chaque strophe, y compris à l'envoi. Il arrive que chez François Villon, l'envoi forme un *acrostiche,* c'est-à-dire qu'avec les premières lettres des vers on peut lire verticalement son nom.

Exemple :

Vueilliez voz yeulx emprisonner,
Et sur moy plus ne les giettés ;
Car quant vous plaist me regarder,
Par Dieu, Belle, vous me tués ;

---

1. C. Marot, *Œuvres Poétiques*, Garnier Flammarion, 1538, p. 319.

Et en tel point mon cœur mettés
Que je ne sçay que faire doye,
Je suis mort, se vous ne m'aidiés,
Ma seule souveraine joye.

Je ne vous ose demander
Que vostre cueur vous me donnés ;
Mais, se droit me voulés garder,
Puis que le cœur de moy avés,
Le vostre fault que me laissiés,
Car sans cueur vivre ne pourroye ;
Faictes en comme vous vouldrés,
Ma seule souveraine joye.

Trop hardy suy d'ainsi parler,
Mais pardonner le me devés
Et n'en devés autruy blasmer
Que le gent corps que vous portés,
Qui m'a mis, comme vous véez,
Si fort en l'amoureuse voye
Qu'en vostre prison me tenés,
Ma seule souveraine joye.

Ma Dame, plus que ne savés,
Amour si tresfort me guerroye,
Qu'à vous me rens ; or me prenés,
Ma seule souveraine joye.

(Charles d'Orléans, environ 1450...).

Cette liste n'est pas exhaustive, elle suffit à caractériser une tendance.

Le poème à « forme fixe » a cette particularité — par rapport au poème à strophes qui se développe par simple reproduction d'ensembles homologues, initialement déterminés par le vers (nombre de syllabes), le nombre de vers, la disposition des rimes — que la limite finale du poème est elle-même fixée d'avance : par le nombre de strophes (sextine, rondeau, ballade, sonnet), par l'organisation stricte de retours de rimes, de fragments de vers, ou de vers entiers à place fixe (rondeau), ou se déplaçant de strophe à strophe selon un ordre systématique, par une combinaison stable de strophes inégales : Ex. : *rondeau* : une strophe de trois, encadrée par deux strophes de cinq ; *sonnet* : deux quatrains + deux tercets ; *ballade* : la strophe finale compte deux fois moins de vers que les autres, et se caractérise, de surcroît, par une fonction rituelle (destination) que définit son titre particulier.

Le vers est de huit syllabes, la strophe de huit vers — sauf l'envoi qui n'en a que la moitié. L'ensemble tient sur *deux* rimes alternées, la seconde étant déterminée par le vers qui sert de refrain final, au retour duquel est subordonnée toute la syntaxe du discours, et que prépare le vers antépénultième avec la rime nouvelle. La demi-strophe finale reproduit ainsi, du point de vue des rimes, la seconde partie des trois parties antérieures.

2. NÉCESSITÉ ET LIBERTÉ

La strophe en elle-même ne définit qu'une unité partielle dont la reproduction est virtuellement illimitée : la clôture du texte ne peut donc être assurée que par un ordre interne au discours : fin de l'histoire, si c'est un poème narratif, ou fin de l'argumentation, ou épuisement du thème. Ici, c'est la même loi préalable — qui a fixé initialement les conditions matérielles de la production du texte — qui est chargée d'en assurer la clôture[1]. Le fait notable, c'est que le poème à « forme fixe va chercher son principe de fonctionnement dans un domaine étranger à la langue : dans des règles d'arithmétique — les deux domaines étant a priori peu faits pour s'adapter l'un à l'autre.

Les faits eux-mêmes nous imposent de constater que cette systématisation n'a rien eu de stérilisant. Elle a servi de point d'appui, du Moyen Age au xvie siècle, à l'invention continue de modèles les plus divers. Plutôt que des « formes » (terme toujours ambigu dès qu'on parle du langage), ce sont des formules d'engendrement de poèmes, et leur histoire prouve que leur capacité de production ou de reproduction est pratiquement illimitée : du xve au xvie siècle, le foisonnement de rondeaux et de ballades en tous genres est fantastique. Des poètes comme Charles d'Orléans, François Villon, Clément Marot construisent sur ces modèles la plus grande partie de leur œuvre ; la production de sonnets du xvie siècle à nos jours est ininterrompue. *Tout se passe donc comme si la fixation préalable de règles contraignantes était la condition et le terrain nécessaires de la liberté.* Ainsi la rime favorise les rencontres hasardeuses de mots et l'apparition de rapports inattendus entre le son et le sens, l'espace interne délimité par le vers favorise la formation de structures sonores, celui de la strophe la confrontation de rapports rythmiques et sémantiques. La valeur du principe est affirmée par le poète contemporain Raymond Queneau :

« Une fausse idée qui a cours actuellement, c'est l'équivalence que l'on établit entre inspiration, exploration, subconscient et libération, entre hasard, automatisme et liberté. Or, cette inspiration qui consiste à obéir aveuglément à toute impulsion est en réalité un esclavage. Le classique qui écrit sa tragédie en observant un certain nombre de règles qu'il connaît est plus libre que le poète qui écrit ce qui lui passe par la tête et qui est l'esclave d'autres règles qu'il ignore »[2].

La « poésie » — appelée jusqu'au milieu du xvie siècle « rhétorique *seconde* », c'est-à-dire ajoutant à l'*autre* rhétorique des règles supplémentaires — est considérée alors comme une haute prouesse technique ; le mérite de chacun doit faire ses preuves en montrant son aptitude à triompher des obstacles. *Mesurer* ses paroles n'est pas, en effet, une opération naturelle : c'est même le comble de l'artifice, mais la vocation de l'art est bien de produire des fictions.

---

1. Dans le cas de la « sextine », c'est l'épuisement des combinaisons possibles de rimes, étant donnés le nombre fixé (six) et la règle de permutation, qui impose sa fin au poème. Et peut-on dire que ces contraintes sont « déraisonnables », puisqu'elles tendent à imposer au discours humain des règles empruntées aux mathématiques qui passent pour le pur exercice de la raison ?

2. *Atlas de la littérature potentielle*, Gallimard, 1981, p. 56-57. Citation empruntée à R. Queneau, in *Le voyage en Grèce*, 1938.

CHAPITRE VII

UN POÈME A FORME FIXE :
LE SONNET

1. LE SONNET

1. Histoire

Le sonnet mérite une attention particulière. « Exporté » d'Italie, il devint aux xvie et au xviie siècles une sorte d'épreuve commune proposée à une vaste émulation collective à l'échelle européenne. En France, les poètes de la Pléiade (*Défence et Illustration*, 1549), détournant leurs collègues des « formes fixes » (rondeaux, virelais, ballades..., et autres « épiceries »), célèbrent les vertus du sonnet.

Après la phase initiale du romantisme, dont l'expansion première semble avoir exigé des cadres larges (strophes généralement plus amples que le quatrain, ou longs discours en alexandrins continus), dès 1835 environ, le cadre du sonnet redevient pour beaucoup le meilleur espace poétique (cf. *Les Chimères* de Nerval, 1854 ; *Les Fleurs du Mal* de Baudelaire, 1857, où l'on compte quarante-quatre sonnets sur quatre-vingt-cinq poèmes[1], et les œuvres de Verlaine, Rimbaud, Mallarmé, Ch. Cros, etc., où la proportion des sonnets est considérable). S'agit-il de poètes au souffle court ? De nouvelles conditions de lecture liées à l'extension des journaux qui n'offrent qu'un espace limité et préfèrent des textes aux perspectives nettes ? Le sonnet a encore des avantages mnémotechniques considérables, qui expliquent, par exemple, qu'un

---

1. Dans les *Nouvelles Fleurs du Mal*, la proportion est de dix sur quatorze. Le sonnet a, selon lui, une « beauté pythagorique », ou encore « la beauté du métal et du minerai bien travaillé »... « Parce que la forme est contraignante, l'idée jaillit plus intense ». (*Correspondance*, éd. Club du Livre t. II, p. 1248. Lettre du 18-2-1860). Dans « Notes nouvelles sur Edgar Poe » : « Un sonnet lui-même a besoin d'un plan, et la construction, l'armature, pour ainsi dire, est la plus importante garantie de la vie mystérieuse des œuvres de l'esprit », p. 444.

poète comme J. M. Heredia, sur la base d'un seul recueil de sonnets (*Les Trophées*, 1893), doit, pour l'essentiel, sa célébrité aux facilités qu'il a de se prêter aux exercices scolaires (explication, récitation).

Plus près de nous, et toujours à propos du sonnet, s'affirme une conception du travail poétique qui réagit contre certains aspects de l'idéologie surréaliste, et cela de la part d'anciens surréalistes. Robert Desnos déclare que son ambition « est moins de faire maintenant de la *poésie*, rien n'est moins rare, que des *poèmes*, dont mes camarades et moi, vers 1920, nous niions la réalité, admettant alors que, de la naissance à la mort, un grand poème s'élaborait dans le subconscient du poète qui ne pouvait en révéler que des fragments arbitraires... »[1]. Et Raymond Queneau, qui trouve dans la structure du sonnet un mode d'organisation analogue à la structure « bourbakiste » en mathématiques, propose une méthode de prolifération virtuelle de « Cent mille milliards de poèmes » à partir de 10 sonnets construits sur les mêmes rimes[2].

Dans la production poétique la plus actuelle, les sonnets ne manquent pas, et, ce qui est significatif, c'est qu'ils se présentent, non pas isolément, mais en séries continues, formant parfois des recueils entiers (Jean Cassou, Pierre Seghers, Guillevic, Lionel Ray, Ruben Melik, Jacques Roubaud, P.-J. Jouve, Alain Bosquet...).

2. Structure du sonnet

Elle tient à une stricte économie des règles de base : deux quatrains + deux tercets ; c'est-à-dire une bipartition entre deux systèmes de groupements des vers en strophes : l'un pair à tous les niveaux (deux strophes de 2×2 vers = un huitain), l'autre (un sizain) combinant le pair et l'impair, puisqu'un groupe de trois vers est multiplié par deux. La coupure médiane est d'autant plus nettement affirmée que les deux quatrains sont construits sur les mêmes rimes, disposées dans le même ordre, ce qui assure, en même temps que leur étroite cohésion, leur autonomie par rapport au sizain qui suit, où les rimes changent et où leur disposition ne peut plus être la même. Et d'autre part, du fait que la combinaison des rimes y est généralement « embrassée », les deux quatrains sont rigoureusement homologues et parallèles, et chacun d'eux est rigoureusement fermé sur lui-même[3].

---

1. Postface de « Fortunes » (1942) et de « État de veille » dans *Domaine Public*, NRF Gallimard, 1953, p. 329 et 389.

2. Oulipo, *La Littérature potentielle*, NRF, 1973, p. 247.

3. « Il est de convention que les quatrains y soient comme les deux miroirs d'une même image, ou miroirs l'un de l'autre, une sorte de dilemme dans lequel le poète est enfermé... C'est pourquoi les rimes ici... sont comme les murs du poème, l'écho qui parle à l'écho, deux fois se réfléchit, et on n'en croirait pas sortir, la même sonorité embrasse par deux fois les quatrains, de telle sorte que le quatrième et le cinquième vers sont liés d'une même rime qui rend indivisibles ces deux équilibres. La précision de la pensée ici doit justifier les rimes choisies, leur donner leur caractère de nécessité... » (Louis Aragon *Lettres françaises*, 4-3-1954).

Dans les tercets, le groupement impair des vers entre en contradiction avec celui des rimes associées deux à deux : une rime du premier reste nécessairement en suspens, et ne trouvera son accord qu'au tercet suivant : du fait de cet enjambement la délimitation des deux strophes est indécise[1].

Dans un système clos comme celui-ci, fortement appuyé sur l'architecture des retours de rimes, il y a une forte tendance à faire coïncider l'accord sonore avec la fin d'une unité de sens (cf. les quatrains). La suspension (ou enjambement) d'une rime fait du premier tercet une unité incomplète, en « suspens » de sens, qui ne sera complétée qu'au-delà du silence prolongé, marqué par l'intervalle typographique entre les deux strophes.

Aussi la combinaison des rimes offre-t-elle potentiellement une certaine diversité. Dès le XVIe siècle, se sont fixés pour les tercets deux types de combinaisons : 1) celle qui fait suivre, après un distique à rimes plates, un quatrain à rimes croisées : ccd/ede (Pelletier du Mans) — type directement imité des Italiens ; 2) celle adoptée par Marot, pour se démarquer du modèle pétrarquiste, qui substitue à la rime croisée la rime embrassée : ccd/eed. Définitivement adopté par Ronsard dans l'édition des *Amours* de 1552, ce modèle devient le plus fréquent. Remarquons qu'il a la particularité de reproduire en fin de poème le modèle du quatrain initial[2].

3. Le sonnet de Ronsard dans ses rapports avec la musique

L'édition des *Amours* de Ronsard[3] fournit des indications intéressantes sur les rapports du poète avec les musiciens pour lesquels il travaille, et sur l'influence des contraintes musicales dans la construction du modèle. C'est l'adaptation du sonnet « à des considérations musicales qui ont amené Ronsard à composer ses sonnets en un très petit nombre de séries, et à construire chaque série sur un plan uniforme, qui les rendît *superposables en tous leurs éléments rythmiques*, y compris la rime de même genre (fém.) tombant à la même place par une alternance régulière... Il mesura ses sonnets à la lyre en les rendant propres à être chantés en séries sur un même air... » (p. 15-16).

---

1. « Car le tercet, au contraire du quatrain fermé, verrouillé dans ses rimes, semble rester ouvert, amorçant le rêve. Et lui répond, semblable, le second tercet, du roulement répété de vers rimés d'une rime nouvelle, indépendante, balançant le distique inaugural du premier tercet, tandis que le vers impair, le troisième (qui, à ne considérer que ce seul tercet, ferait comme un doigt levé) rimant avec son homologue, est comme la résolution de l'accord inachevé, mais, du fait de sa position même, le sonnet pourtant refermé, il laissera l'esprit maître de poursuivre l'image et la rêverie. C'est ainsi, au corset étroit des quatrains, dont la rime est au départ donnée, que s'oppose cette évasion de l'esprit, cette liberté raisonnable du rêve, des tercets. » (*Lettres françaises*, 4-3-1854).

2. D'autres modèles sont évidemment possibles. Ainsi, dans *Les Chimères* de Gérard de Nerval on trouve la combinaison cdd cee (desdichado), ou cdc dee (vers dorés), ou encore sur deux rimes cdc ddc (Myrthô, Artémis).

3. Société des textes français modernes. E. Droz, 1939, Paul Lemonnier.

Ronsard aurait travaillé pour quatre musiciens ; il aurait conçu le sonnet comme la « triade » pindarique composée d'une strophe + une antistrophe (les deux quatrains rythmiquement parallèles) et d'une « épode » de rythme différent (le sizain) ; les musiciens l'auraient traité ainsi : un air (le même) pour chacun des quatrains, un autre pour le sizain.

Ronsard ayant systématisé l'alternance des rimes (masculine/féminine), y compris dans le passage des quatrains aux tercets, on pourrait distinguer quatre types de sonnets, destinés aux quatre musiciens respectifs, chaque série devant être chantée sur la même musique :

    série I :   2 (fmmf) + mmfmmf
    série II :   2 (mffm) + ffmffm
    série III :   2 (fmmf) + mmfmfm
    série IV :   2 (mffm) + ffmfmf

Il n'y aurait eu, sur cent quatre-vingt-trois sonnets, que huit exceptions, et Ronsard les aurait par la suite corrigés pour qu'ils puissent entrer dans les modèles musicaux prévus ! Fait oublié, et pourtant significatif. On vérifiera, sur les partitions musicales reproduites en fin de l'édition, que le « e » final de vers est compté comme une note à part entière, ce qui a une incidence sur la valeur réelle de l'alternance : le vers à rime féminine serait donc un vers à nombre impair (treize unités), alternant avec un vers à nombre pair de syllabes. Cette alternance souligne nettement la charnière entre les deux parties du sonnet : si les vers initiaux (et finaux) des quatrains ont une terminaison « masculine », les vers initiaux des tercets ont une terminaison féminine, autrement dit du huitain au sizain l'alternance est inversée. D'autre part dans les séries I et II, où la combinaison des rimes ramène en fin du sizain un quatrain, le modèle de ce quatrain final est ainsi identique, du seul point de vue de l'alternance, à celui des quatrains initiaux. « Aucun des devanciers de Ronsard, remarque l'éditeur, n'avait songé à régler la structure de ses sonnets sur les exigences de la musique, ils s'y étaient permis (sauf Marot) toutes les libertés quant à l'agencement des rimes, et surtout quant au "genre" des rimes. »

Ces faits permettent encore de rendre compte d'un autre phénomène : avec Ronsard, les sonnets se présentent numérotés, formant des séries, réunis sous un titre (cf. les *Amours* de Ronsard ; *Les Antiquités de Rome* et *Les Regrets* de du Bellay, l'*Hécatombe à Diane* de Aubigné, etc.). Une série forme ainsi un long poème, dont chaque sonnet n'est qu'une unité : unité rythmique, unité de discours, et parfois même unité syntaxique, quand il est constitué d'une seule phrase, dont les articulations logiques coïncident avec les coupures de strophes. Inséré dans ce cadre, le « sonnet » répond exactement à la définition d'une strophe, dans sa structure et dans sa fonction : en effet, la continuité du même discours (historique ou amoureux) est soumise à une discipline, un règlement qui consiste dans le retour de groupes structurels identiques. Chaque « sonnet » est comme le maillon, identique à tous les autres, d'une chaîne virtuellement illimitée, ou comme le grain d'un chapelet. Et, en même temps, chacun forme un poème unique, qui se suffit à soi-même, qui a sa propre fin, chaque fois unique et différent... et cependant reprenant le même discours à son point de départ, pour un nouveau parcours[1].

2. Structure strophique et structure logique

Tous les commentateurs s'accordent à dire, pour justifier sa stabilité dans le temps et son expansion dans l'espace, que la construction du sonnet offre dans ses prémisses un support préalable, prédéterminé mais vide, et interprétable ; un parcours tracé d'avance, jalonné de repères : les points d'articulation d'une construction logique éventuelle y ont leurs places respectives marquées d'avance, aux charnières de strophes.

Témoignage exemplaire : celui du poète Jean Cassou, qui, emprisonné sous l'Occupation, sans papier ni crayon, construisit des sonnets dans sa tête. « Le sonnet, dit-il, par sa forme contraignante me donnait des repères... je *voyais* la page blanche ... A partir des contraintes, en particulier de la rime, s'offraient toutes sortes de combinaisons. »[2]

Selon l'écrivain allemand A. W. Schlegel (1844) : « dans l'organisation d'un sonnet, où la coupure est observée, le huitain contient une prémisse, le sizain la conclusion ; le huitain peut être une question, alors le sizain en est la réponse ; ou le huitain est une affirmation, une assertion, alors le sizain en est la démonstration, la preuve ; si le huitain est une analyse, le sizain est une synthèse... Donc la structure du sonnet en elle-même est un système d'ordre, dans lequel les pensées s'ordonnent comme dans un dialogue ».

L'historien de la poésie française Henri Weber, qui le cite[3], remarque sur un cas particulier : *Les Regrets* de du Bellay, que « le sonnet se prête en particulier à l'antithèse : antithèse entre les quatrains et les tercets, entre les treize premiers vers et le dernier, ou jeu d'oppositions complexe entre chaque quatrain et chaque tercet » ; et que toutes ces dispositions correspondent à la dialectique de la réflexion sur l'exil : « opposition entre son présent et son passé, entre les vains espoirs du voyageur et la triste réalité de la vie romaine, entre son destin et celui de ses amis restés en France », ou encore « contraste entre la destinée qui attend le poète et celles des héros de légende, ou même de simples animaux plus heureux

---

1. Cette pratique de « poésie ininterrompue », formée de sonnets alignés en séries, on la retrouve dans la production poétique contemporaine = cf. J. Roubaud, *E*. Éd. Gallimard 1967, Alain Bosquet. Pablo Neruda : *Centenaire d'amour*. Club des amis du Livre progressiste 1965. Ce dernier justifie cette construction par métaphore = « Toi et moi cheminant par bois et sablières, lacs perdus, latitudes de cendres, nous avons recueilli des fragments de bois pur, madriers sujets du va-et-vient de l'eau et de l'intempérie. De ces vestiges à l'extrême adoucis j'ai construit par la hache, le couteau, le canif, ces charpentes d'amour et bâti de petites maisons de quatorze planches pour qu'en elles vivent tes yeux que j'adore et que je chante. Voilà donc mes raisons d'amour et cette centaine est à toi : sonnets de bois qui ne sont là que de cette vie qu'ils te doivent. »

2. Jean Cassou, *Interview à France Culture*, 1980.

3. *La création Poétique au xvie siècle*, Nizet, 1955.

que lui. C'est enfin l'opposition entre le décor des palais romains et la douceur des paysages angevins... ».

Pour le poète P. J. Jouve[1], traducteur des sonnets de Shakespeare, le sonnet est un « appareil » où « se fait une construction serrée de déductions et inductions affectives... » et « l'ensemble des sonnets a figuré un *théâtre intérieur* dans lequel l'âme du poète joue tous les rôles, les plus tragiquement contrastés, pour ou contre lui-même, en suscitant les scènes pour ces rôles... ». Pour Aragon, c'est une « machine à penser » (formule qu'il applique par ailleurs au roman), ce qui dit clairement (cf. la préposition *à*) que la structure n'impose rien à la pensée, qu'elle est ouverte à toute appropriation particulière.

---

1. Pierre Jean Jouve, Mercure de France, 1-5-1955.

CHAPITRE VIII

L'ANALYSE DE TEXTE :
Deux sonnets de Ronsard et Nerval

1. L'ÉNONCIATION DANS LE DISCOURS

De vieilles habitudes scolaires nous ont appris — sous couvert de « littérature » — en nous orientant en priorité vers l'anecdote biographique ou la description des sentiments, à quitter le terrain du langage, ou à n'en retenir subsidiairement que quelques aspects, à titre de soutien ou d'ornement de la « pensée ».

Dans les chapitres précédents, nous avons cherché à récapituler les connaissances — trop généralement et parfois totalement négligées — qui constituent le *minimum*, à partir de quoi on peut prétendre ramener l'attention à l'examen des faits concrets. Mais, ce faisant, nous n'avons pas procédé autrement qu'une grammaire de langue, en prélevant, pour les mettre en situation d'*exemples*, et chaque fois pour un besoin défini, des fragments de textes, isolés du lieu où ils avaient pris une vie et un sens. Ainsi la grammaire ne vise qu'une langue morte, et non la parole vivante prise dans sa situation réelle.

Un poème forme un tout, et, si l'analyse inévitablement divise, nous n'aurons de chance de comprendre sa manière propre de signifier qu'en saisissant le mouvement global, dans lequel et pour lequel chaque fait particulier a inscrit sa trace en liaison avec tous les autres.

2. ANALYSE

1. Les pronoms personnels

Si le texte n'est pas une simple addition de propositions partielles assemblées, c'est qu'il constitue en bloc, indissolublement, un *acte de parole* (énonciation), par lequel un JE (*sujet* de l'énonciation) cherche à s'affirmer en tant que « personne » (terme d'origine latine que les grammairiens ont emprunté au langage du théâtre où il désigne le « rôle » de l'acteur). Et nous ne savons de lui que ce qui nous en est dit[1].

Ce JE peut être littéralement *absent* des propositions qu'il énonce, ces énoncés à eux seuls manifestent sa présence vigilante. Quand il dit « je », c'est pour se projeter lui-même en tant que « personnage » sur la scène (Exemple : « Le vallon où *je* vais tous les jours est charmant » (V. Hugo)). Il peut aussi se dédoubler en un « tu » (« Rappelez-*vous*, l'objet que *vous* vîtes, mon *âme*, » Baudelaire). Cette « seconde personne » peut encore représenter ou bien le lecteur éventuel que je suis pris à témoin (« *Tu* le connais, *lecteur,* ce monstre délicat, — Hypocrite lecteur —, ... Baudelaire), ou bien une autre « personne », réelle ou fictive (« Dis-moi, *ton* cœur parfois s'envole-t-il, *Agathe*, »... Baudelaire).

2. Espace et temps

A ces « indicateurs de la personne » est liée toute une classe de mots « qui échappent au statut de tous les autres signes du langage » (*id.* p. 24) parce qu'ils ne renvoient à aucun concept (Ex. : « arbre ») : « démonstratifs, adverbes, adjectifs, qui organisent les relations spatiales et temporelles autour du « sujet » pris comme repère :« ceci, ici, maintenant », et leurs nombreuses corrélations : « *cela, hier, l'an dernier, demain* », etc., se définissant *seulement* par rapport à l'instance de discours où ils sont produits, c'est-à-dire sous la dépendance du je qui s'y énonce » (*id.*). Sous cette dépendance s'organise aussi le système des « temps verbaux » : il se construit autour du « présent », qui ne peut être qu'un repère intérieur au discours, puisqu'il n'a comme référence temporelle qu'une donnée linguistique : « la coïncidence de l'événement décrit avec l'instance de discours qui le décrit ». « C'est le temps du JE énonciateur au moment même où il énonce » (*id.* p. 262).

Ces considérations théoriques permettent, à notre avis, d'élaborer une méthode de commentaire : le poème-sonnet est envisagé comme une sorte de lieu scénographique ; la division en strophes, avec tous ses effets rythmiques, correspond au déroulement du scénario, dont « je » est le personnage central, au même titre et avec la même rigueur que les « actes » de la tragédie. La scène est le « discours », et le mouvement dramatique celui du « sujet », entraîné dans le rythme d'enchaînement des énoncés successifs, qui finissent par circonscrire une « situation ».

---

1. « C'est dans et par le langage que l'homme se constitue comme "sujet", parce que le langage seul fonde en réalité, dans *sa* réalité, le concept d'ego (je). Nous n'avons pas d'autre témoignage objectif de l'identité du sujet que celui qu'il donne ainsi de lui-même sur lui-même ».

(E. Benveniste, De la subjectivité dans le langage, 1958, dans *Problèmes de linguistique générale*, NRF, 1966, p. 258-259 et 269).

2. DEUX ANALYSES DE SONNETS

Les deux analyses qui suivent ne prétendent pas être exhaustives, chacun pourra les compléter. Elles ne prétendent pas davantage, se bornant à l'analyse *interne*, exclure d'autres « modes d'emploi », qui tiendraient compte, plus largement, des circonstances historiques. Loin de nous l'idée que la poésie vit hors de l'espace et du temps. C'est d'ailleurs pourquoi il nous a paru nécessaire de présenter (conjointement) au moins deux analyses de sonnets, appartenant à des cycles de production éloignés dans le temps (xvie et xixe siècles), pour qu'on puisse mesurer de l'un à l'autre la modification de l'espace et du temps culturels.

Comme on voit sur la branche...

Comme on voit sur la branche, au mois de mai, la rose,
En sa belle jeunesse, en sa première fleur,
Rendre le ciel jaloux de sa vive couleur,
Quand l'aube, de ses pleurs, au point du jour l'arrose ;

La Grâce dans sa feuille, et l'Amour se repose,
Embaumant les jardins et les arbres d'odeur ;
Mais, battue ou de pluie ou d'excessive ardeur,
Languissante, elle meurt, feuille à feuille déclose ;

Ainsi, en ta première et jeune nouveauté,
Quand la terre et le ciel honoraient ta beauté,
La Parque t'a tuée, et cendre tu reposes.

Pour obsèques reçois mes larmes et mes pleurs,
Ce vase plein de lait, ce panier plein de fleurs,
Afin que, vif et mort, ton corps ne soit que roses.

(Ronsard, *Amours*, 1555-1556).

1. Strophes / syntaxe / rythme

Dans ce sonnet de Ronsard, la séparation entre quatrains et tercets coïncide avec l'articulation syntaxique : « Comme... Ainsi... ». En prononçant le premier mot « Comme... », le lecteur sait que cette description du cycle de la fleur (épanouissement et mort) n'est faite ici qu'en attente d'un autre terme ; la *comparaison,* étendue sur deux strophes pleines, de masses égales, et parallèlement disposées l'une sous l'autre, laisse en suspens la révélation de son sens, qu'annonce, à la charnière du sonnet, l'apparition de « Ainsi... », et d'un nouveau mode rythmique (les tercets).

Sonnet de Ronsard mis en musique pour : Soprano et ténor.

Le *moment* décisif du déroulement rythmique reçoit de la syntaxe de la phrase une motivation de sens, et en échange la division syntaxique est perçue comme un fait de rythme :

QUATRAINS	TERCETS	QUATRAINS	TERCETS
comparant subordonnée	comparé principale	allégorie mythe énigme question	référence situation réponse
strophes-syntaxe-logique		sens	

Sonnet de Ronsard mis en musique pour : Contre alto et basse.

Cependant, la répartition en deux groupes de strophes n'est pas schématiquement reproduite au niveau syntaxique. Seul, le premier tercet poursuit la comparaison et fait la clôture de la « phrase » : le second tercet est donc isolé, se détachant des trois autres strophes unifiées dans l'unité de phrase ; il forme une sorte d'*envoi*, comme dans la ballade, désignant la destination du poème (« reçois »). De ce fait, il n'y a pas de parallélisme strict entre les deux termes de la comparaison : le « comparant » occupe huit séquences de vers, le « comparé » seulement deux.

De la même façon, il n'y a pas de parallélisme rigoureux entre les deux quatrains : au milieu du second, le « Mais… » introduit une rupture syntaxique qui partage le huitain en deux phases inégales : 6 + 2. Les deux premiers vers du second reprennent et prolongent le mouvement initial de montée de l'intonation ; les vers 7 et 8 occupent la phase descendante. Cette dissymétrie, interne à l'ensemble, n'entame pas la régularité du cadre strophique, verrouillé par les rimes ; cet encadrement est encore renforcé par l'identité du modèle rythmique des deux vers finaux : même isolement à la césure d'un segment de trois unités (dĕ sĕs pleŭrs/ ĕllĕ mĕurt,), même reprise à la césure de la rime des vers précédents /œ̆R/.

La solidarité syntaxique du premier tercet avec les quatrains (comparé/comparant) est renforcée par une série de reprises :

— Son premier vers est une reprise aménagée du vers 2 du premier quatrain (« En sa belle *jeunesse*, en sa *première* fleur/Ainsi en ta *première* et *jeune* nouveauté »), avec substitution de possessifs (sa/ta : 3ᵉ personne → 2ᵉ personne) ;

— le second contient un rappel du vers 3 du même quatrain (« Rendre *le ciel jaloux* de sa vive couleur/Quand la terre et *le ciel honoraient* ta beauté ») ;

— le troisième reprend le procédé de clôture par reprise en écho à la césure de la rime des vers précédents (« tu*ée* » rimant avec « nouveau*té* » et « beau*té* ») ; le même procédé est donc repris trois fois avec la même fonction. Mais il reprend, d'autre part, des éléments du vers 1 du second quatrain : La Parque, en tant que personnage mythologique, fait écho à La Grâce et à l'Amour, et le même mot — *repose/reposes* — fait la rime.

Le détachement du tercet final est ainsi nettement affirmé. On y retrouve toutefois à la rime des éléments (*pleurs, fleurs, roses*) qui ont servi aux rimes du premier quatrain (*rose, fleur, pleurs*) ; ici dans des fonctions syntaxiques nouvelles, dans un nouveau contexte d'énonciation ; et ils réapparaissent successivement « à reculons », dans l'ordre inverse : de sorte que le dernier mot à la rime est le même qui a fait la rime du premier vers ! Tout se passe comme dans le final d'une composition musicale où l'on réunit les motifs de l'ouverture, mais dans une présentation telle qu'il satisfasse notre exigence de conclusion — ici par un rappel du point d'origine. Mais il n'est pas indifférent pour la pensée, que, du vers initial au vers final, on soit passé du *singulier* : « la rose » (le concept, la généralité) au *pluriel* : « ton corps ne soit que roses : (c'est-à-dire la marque de l'individualité, du pluriel, du sensible).

2. L'énonciation ou la scène du « Je »

Examinons maintenant le poème-sonnet du point de vue des indicateurs de la *personne* (je, tu, il), et des repères temporels : il est impossible de les dissocier, ils forment sens ensemble, inséparablement.

Sur l'ensemble des deux quatrains n'apparaît que la troisième personne, sous les formes suivantes :

— articles de généralité (ou de genre) : *la* branche, *la* rose, *le* ciel, *l'*aube (l'univers, l'homme absent), *la* Grâce, *l'*amour, *les* jardins, *les* arbres.

— possessifs de troisième personne : *sa* (jeunesse, fleur, couleur, ses pleurs...), qui rapportent au terme « rose » une série d'attributs.

Corrélativement, le temps des verbes est exclusivement le *présent* : et cette corrélation (du temps présent, et de sujets de généralité) confère à ce temps verbal une valeur *intemporelle* : c'est une sorte de présent d'éternité, car la Nature n'a, à proprement parler, en elle-même, ni passé ni futur, puisqu'elle se renouvelle chaque année. Ce qui se dit ici est bien ce qui se voit et se fait toujours au moment, *quel qu'il soit*, où j'en parle, en dehors de nous, dans le monde.

Ce récit descriptif est présenté par « on voit », et dans ce « on », JE (celui qui parle, mais aussi bien tout lecteur éventuel) est automatiquement impliqué, à titre de spectateur « objectif » anonyme, jusqu'au terme de la séquence des quatrains. Seulement ce « je-spectateur » est diffus dans l'anonymat, dans l'ensemble des humains, autrement dit confondu avec une expérience généralisée de la contemplation de la nature, d'inspiration anthropocentriste. Philosophie « humaniste » (à base stoï-cienne : la contemplation de la nature est tournée vers la réflexion morale sur la destinée humaine). Si JE est, à la lettre, absent de l'énoncé, ce n'est donc pas que la personne, la subjectivité en sont absentes, mais elles ne sont pas distinguées de ce qu'on peut appeler la *culture* d'une aire et d'une époque données de civilisation.

Tout change avec les tercets.

Dans le tercet 1, JE est encore absent (ce qui assure la continuité avec les quatrains, nous sommes dans la même « phrase »), mais cette fois il est implicite par rapport à la répétition insistante de TU (ta, ta, t'a, tu), c'est-à-dire dans une interlocution particulière, *personnelle*, ce qui modifie son rôle, sa fonction, sa situation par rapport aux énoncés dont il est le support sous-jacent : situation d'amant, situation privée, où il est *person-nellement* impliqué.

Le système des temps verbaux se modifie simultanément : l'ensemble de l'énoncé est encore sous la dominante d'un *présent* : « et cendre tu reposes » (fin de phrase et rime finale), mais ce présent n'est lu ici qu'après deux *passés* (honoraient, t'a tuée), il tire sa valeur de ce rapport passé/présent, ce qui n'était pas le cas dans les quatrains. Le temps décrit dans ce rapport n'est pas celui de la Nature, mais celui de l'expérience subjective de la biographie humaine.

Au dernier tercet, JE apparaît enfin sur la scène, autrement dit nommément désigné dans l'énoncé : dans le redoublement du possessif de la première personne (« *mes* larmes, *mes* pleurs » les deux substantifs font répétition, étant synonymes), que reprend au vers suivant le redoublement du démonstratif *ce*. A cette entrée en scène correspondent de nouvelles modalités de la conjugaison verbale : l'impératif « reçois », et, introduit par « afin que », le subjonctif à valeur optative (souhait) : « soit ».

Le « sujet » — celui qui n'a cessé, quoique non expressément nommé, de parler tout au long du texte — cette fois se désigne comme personnage central, dans la fonction de destinateur (= celui qui l'envoie) du poème, fonction décrite en termes mythologiques, assimilée en effet au geste sacré de donateur funéraire : de ce fait, c'est le poème lui-même, qui se trouve métaphoriquement nommé comme étant l'offrande réelle, sous le couvert de « *ce* vase plein de lait, *ce* panier plein de fleurs ». Avec

l'apparition, retardée jusqu'au dernier tercet, de JE, se résout définitivement la question de la finalité (*pour* obsèques, *Afin que*...) de la
destination, du *sens* du poème qui restait jusqu'alors suspendu.

Telle est donc la fonction particulière de ce dernier tercet par rapport
à l'ensemble du sonnet, la justification de son isolement en tant que
strophe, et en tant qu'unité syntaxique autonome hors de la comparaison.
L'énoncé final « Afin que vif *et* mort ton corps ne soit que roses » résout
deux contradictions logiques. Entre la vie et la mort : l'incompatibilité des
deux termes est abolie, puisque « vif » et « mort » sont reliés par la
conjonction « et », comme s'ils pouvaient simultanément coexister. Entre
le comparant et le comparé : ce que la comparaison donnait comme
parallèles, mais séparées — la femme, la rose — se présente comme
confondu : « ton corps » et « roses » sont réunis par la copule -être-
représentant dans le langage le signe =, du moins à titre de souhait !

El Desdichado

Je suis le ténébreux, — le veuf, — l'inconsolé,
Le prince d'Aquitaine à la tour abolie :
Ma seule *étoile* est morte, — et mon luth constellé
Porte le *soleil* noir de la *Mélancolie*.

Dans la nuit du tombeau, toi qui m'as consolé,
Rends-moi le Pausilippe et la mer d'Italie,
La *fleur* qui plaisait tant à mon cœur désolé,
Et la treille où le pampre à la rose s'allie.

Suis-je Amour ou Phébus ?... Lusignan ou Biron ?
Mon front est rouge encor du baiser de la reine ;
J'ai rêvé dans la grotte où nage la sirène...

Et j'ai deux fois vainqueur traversé l'Achéron :
Modulant tour à tour sur la lyre d'Orphée
Les soupirs de la sainte et les cris de la fée.

(Gérard de Nerval, *Les Chimères*, 1853).

1. Étude du poème

Chaque strophe est autonome, formant chacune une phrase complète : de l'une à l'autre aucune liaison syntaxique, tenant lieu d'indicateur logique. Mais d'autres indices assurent la cohésion et marquent les
étapes d'une argumentation.

A la charnière principale du sonnet, c'est-à-dire au moment du
passage des quatrains aux tercets, l'affirmation initiale « Je suis... »
(affirmation d'identité) s'inverse en interrogation : « Suis-je... ? ». On a,
dans les deux cas, quatre « attributs », mais, dans le second cas, un seul
vers au lieu de deux, et, au lieu d'une énumération par juxtapositions
successives, une double alternative placée sous le signe de « ou ». La
certitude fait place au doute, et ce doute porte sur l'affirmation antérieure,
comme une correction de lecture.

Le second vers de ce premier tercet, dans son premier hémistiche, est syntaxiquement parallèle au second vers du premier quatrain (« Ma seule étoile est morte... » et « Mon front est rouge encor... »). Ce parallélisme est aussi rythmique (‿ ¹ ‿ ¹ ‿ ²).

Les deux tercets sont nettement séparés l'un de l'autre (malgré la rime enjambant d'une strophe à l'autre : Ach*éron* faisant écho à B*iron*), les points de suspension imposant un intervalle de silence prolongé. Le « Et » souligne la reprise syntaxique.

Les deux derniers vers sont nettement détachés : par une ponctuation forte (deux points) ; et parce qu'ils forment une unité syntaxique et qu'ils sont unis par la rime suivie.

Ce sonnet présente, par rapport au précédent, des différences d'organisation notables : en particulier, l'organisation des tercets en fonction de la rime. La disposition est exactement inverse, puisque le distique, traditionnement placé au début du premier tercet, est ici rejeté en fin de poème.

Il est raisonnable de partir de l'hypothèse que ces particularités ne sont pas, comme on dit, de pure « forme », mais qu'elles obéissent à une logique, qui ne peut être que la logique propre au texte[1].

2. Premier quatrain

La phrase qui le compose se déroule en deux temps nettement distincts : au milieu de la strophe, ponctuation forte (deux points) et transformation de la forme de l'énoncé (de « je suis » à « ma seule étoile est... ») ; à ce partage de l'ensemble participe de son côté la combinaison des rimes (alternées) où se répète la même alternance (ab ab).

L'énoncé initial propose pour « je » une série de quatre dénominations possibles ; l'énumération est un effort de multiplication du moi dans des identifications imaginaires successives... et cet effort se fixe enfin sur une figure de l'imagerie légendaire (médiévale).

Le second temps, auquel les « deux points » attribuent une valeur d'explication du premier, présente une série de signes emblématiques (tels que les chevaliers en portaient comme blason sur leur écu, ici remplacé par le luth), qui ne font que commenter le premier cité à la fin du vers 2 (« tour abolie »). La mise en italiques, qui donne d'ordinaire à un mot une valeur de citation (hors-texte), semble ici signaler le fait que les mots « *étoile* », « *soleil* », « *Mélancolie* » n'ont pas leur fonction de désigna-

---

1. L'examen de l'ensemble des sonnets qui composent « Les Chimères » confirme que Nerval n'a pas de système : les combinaisons varient d'un sonnet à l'autre. Il n'est pas guidé par les impératifs d'une adaptation musicale uniforme.
Pour une étude rythmique de l'ensemble des *Chimères* se reporter à Henri Meschonnic, *Pour la poétique* III, NRF, 1973. « Essai sur la poétique de Nerval », p. 15-53. (« ... il faut considérer le faiseur de vers, pour tenter une esquisse de la poétique de Nerval. », p. 15.)

tion habituelle (des choses), mais désignent des « images », qui sont des sortes de citations de la réalité, détournées en allégories mythologiques[1].

Les trois premières dénominations, qui occupent le vers 1, se présentent sous la forme linguistique d'adjectifs *substantivés* : l'article « le » (dont on remarque la permanence exclusive tout le long du discours) nous fait envisager une situation issue du passé comme un état définitif. L'adjectif devient le nom « propre », le signe de l'identité (dans certains manuscrits les trois mots commencent par la majuscule). L'énumération n'est pas uniforme, du fait du rythme : la ponctuation est renforcée par des tirets, chaque terme est nettement détaché, ce qui accentue l'articulation de la consonne initiale de chaque groupe, c'est-à-dire du /-l-/ de l'article, trois fois répété. Ce détachement impose à la diction une lenteur sentencieuse. L'ordre rythmique privilégie le terme central de la série : contrairement à la loi de la progression, il est au centre, quoique le plus court, encadré par deux groupes de quatre syllabes- (lĕ-ténébrĕux-l'ĭncŏnsŏlĕ̈), il porte l'accent le plus fort (avec l'allongement proportionnel) et le point d'intonation le plus haut[2].

Le moment fort de l'alexandrin est déplacé sur la huitième syllabe (la voyelle phonique /œ/ de /veūf/), et la césure est effacée.

Le quatrième terme de l'énumération (vers 2) se développe, à lui seul, le long d'une séquence rythmique incomparablement plus ample : en fait, les trois vers qui suivent.

D'abord, celui où se trouvent désignés le *titre* (le mot « Prince » porte un accent renforcé par la présence du /ə/ muet final), et le *signe* héraldique de sa déchéance : une césure centrale aménage pour chacun des deux éléments un espace équivalent (six temps). C'est la syntaxe « nom + complément déterminatif » qui fait la césure, et, dès le second groupe le reste du vers se déroule sur un mode ternaire régulier [(˘ ˘ ̈) × 3], marqué par le retour d'un accent sur chaque finale de groupe, préparant par une progression également répartie l'avènement du mot clé à la rime :

Lĕ Princĕ̈ d'Ăquĭtăin(e)/ă lă tŏur ăbŏlie

Ensuite, dans les deux derniers vers, on lit d'autres *signes* qui sont des synonymes du premier (tour *abolie* = étoile *morte*/soleil *noir*), et le « luth » du musicien-chanteur remplace comme attribut du prince l'écu du guerrier : le vers 3, malgré sa césure centrale, n'est pas parallèle au précédent : la répartition des accents est différente [mă-seŭl(e)-ĕtŏil(e)/ ĕst-mŏrt(e)] ; un renforcement de la césure (indiqué par des tirets) sépare le second groupe (et mon luth constellé) et le rejette sur le vers suivant

---

1. Sur un autre manuscrit, le mot « étoile » commence par une majuscule ; « étoile » n'est pas en italique, mais « soleil » en a une, tandis que « mélancolie » n'en a pas et n'est pas en italique selon un autre. Cf. éd. Textes littéraires français Giard-Droz, 1949.

2. Moins un groupe rythmique comprend d'unités, plus le *tempo* de lecture est ralenti, et plus les syllabes se détachent. Et inversement.

auquel il est lié par la syntaxe (sujet/verbe) ; quant au dernier vers, il a la particularité d'avoir un fort accent sur la première syllabe (pŏrtĕ), et ce temps initial marqué avec insistance fait un point d'appui à l'élan rythmique d'un décasylabe (4 + 6), ainsi ménagé pour la présentation de la dernière image.

Il est bien délicat de tenter d'analyser la *musicalité* particulière des vers de Nerval, la matière risque d'être inépuisable... Pour nous borner donc à quelques indications : l'oreille perçoit une fréquence sensible des retours de /l/, et, dans la majorité des cas, à des positions qui concernent le rythme, à des titres divers. Au vers 1, c'est la répétition triplée de l'article « le » qui marque chaque fois le point d'appui initial du groupe ; au vers 2, la même consonne commence les deux syllabes initiale et finale fixant le cadrage de l'alexandrin (*le*... *lie*). A partir de la rime /-ole/ se développe une série d'échos approximatifs dans les modulations vocaliques : soit à la rime : /ole/ /oli/ /oli/ ; soit à l'intérieur du vers 3 : /œl/ de « seule », /wal/ de « étoile », /εle/ de « constellé » ; soit au vers 4 : /olεj/ de « soleil », /elã/ et /oli/ de « mélancolie ». Aux vers 3 et 4, on note encore une double allitération de /m/, reliant « ma » à « morte », « mon » à « mélancolie », c'est-à-dire le mot initial (possessif de la première personne) au dernier mot de la séquence. Et l'entrelacement des /l/ aux /m/ qui les encadrent présente une régularité significative dans le premier hémistiche du vers 3, pour la répartition des unités syllabiques et pour l'autonomie prosodique de la séquence :

ma-sœ-le-twa-lε-mort

Dans ce premier quatrain, le temps est le présent, lequel conjointement avec l'article (défini, singulier), présente l'affirmation comme une définition fixée une fois pour toutes. Le passé n'est que suggéré implicitement dans deux participes, dont l'un nominalisé (*l'inconsolé, abolie*). De tout ce discours, dont « je » est le support, le monde des objets et des événements est absent, puisque les noms « tour », « étoile », « luth », « soleil » n'y désignent que des images de blason. « Je » (« forme vide », selon les linguistes) n'est mis en relation qu'avec ses propres reflets, des allégories de lui-même, une « mythologie », qui ne peut que redire l'identité perdue.

3. Deuxième quatrain

Il se distingue du précédent à tous les niveaux :

— Dès la première rime : « consolé » s'oppose à « inconsolé ».

— *Le pronom personnel de la première personne* n'apparaît ici qu'associé à « tu » : « toi » /twa/ et « moi » /mwa/ se font sémantiquement et phonétiquement écho. Et il n'est présenté qu'en position de « complément » : « toi qui *m*'as consolé /rends-*moi*/ qui plaisait tant à *mon* cœur ». Tout se passe donc comme s'il n'avait ici d'existence que dépendant de l'autre (moi-toi). Cette union est « représentée » au dernier vers par une « image » symbolique : « et la treille où le pampre *à* la rose s'allie ». (Ici le masculin devient « sujet », le féminin « complément ».) Le verbe, porté à la rime par une inversion suspensive du complément, et nettement détaché en fin de vers parce qu'il est le groupe rythmique le plus court (◡ ◡ ² ◡ ◡ ² ◡ ◡ ² (◡) ◡ ²) fixe, au présent, cette nostalgie du couple perdu.

— *Les temps des verbes* situent cette union de *toi* et de *moi* dans un passé révolu (*m'as consolé, plaisait*). La désignation de lieux géographiques (*le* Pausilippe, *la* mer d'Italie) localisent l'événement passé dans le monde réel, authentifient un souvenir commun. L'article *le, la* n'a pas ici la même valeur qu'au premier quatrain : il dit que ces lieux sont uniques et indissolublement liés à leur nom propre. La conjonction du lieu et de l'événement passé est fixée à la rime par le mariage des mots : It*alie*, s'*allie* : un nom et un verbe au présent, où se lit le caractère ineffaçable du souvenir inscrit dans les noms de lieux et dans les images qui s'y associent[1].

— *L'aménagement rythmique de la phrase* dans la strophe accorde un privilège de position à l'impératif de souhait « Rends-moi », au commencement du vers 2 (accents d'insistance sur les deux consonnes, syllabes longues accentuées consécutives), d'où il commande l'énumération de ses quatre compléments répartis sur trois vers, les deux derniers s'étalant chacun sur un vers entier, et nettement détachés par la conjonction « et ». Ce renforcement de position est la conséquence de l'isolement du premier vers : l'inversion du complément (« dans la nuit du tombeau »...), puis l'invocation « toi qui... ») créent, en effet, une situation d'attente, où la voix est suspendue, comme dans une sorte d'interrogation, à une intonation montante, dont le mouvement est divisé et ralenti du fait de la forte césure centrale :

$$\text{◡ ◡ ² ◡ ◡ ² } | \text{ ² ◡ ◡ ◡ ◡ ²}$$

L'interruption du mouvement, la chute de la voix, à la reprise après la pause de fin de vers, entraîne un renforcement de l'articulation : l'expression de ce souhait d'une impossible « restitution » est lue avec une énergie particulière.

Ainsi, ce deuxième quatrain dévoile une part de l'énigme posée au précédent : ces allégories de « je » disaient toutes, se répétant et commentant le titre, un état de privation, une destitution, un présent-solitude. La clé de ce langage masqué s'y révèle dans le rappel allusif d'une ancienne rencontre, et par l'obsession nostalgique de cet événement. La situation — décrite par une métaphore nouvelle (mais synonyme des précédentes) « la nuit du tombeau » — est caractérisée par l'absence, tourmentée d'un désir impératif de reformer le couple défait. L'image de

---

1. Dans l'un des manuscrits, Nerval a écrit, de sa main, en note, au mot « fleur », l'*Ancolie* (en italique). C'est le nom d'une fleur, mais c'est aussi un terme de blason désignant le dessin d'une fleur de fantaisie sur certaines armoiries. Dans un autre manuscrit le mot « fleur » n'est pas en italique.

ce couple perdu est condensée au dernier vers dans une métaphore symbolique, qui dit à la fois le rêve de la réunion et son impossibilité : d'où la condensation du rêve sur le « végétal »[1]. Le débit du vers est ralenti par la régularité ternaire (˘ ˘ ² ˘ ˘ ˘ ² ˘ ˘ ˘ ² ˘ ˘ ˘ ²), qui place les accents à intervalles équivalents sur les trois noms : « treille » « pampre » « rose » ; à la fin de la séquence, l'indécision du /ə/ muet isole le verbe et la rime qui terminent la strophe, et prolonge l'accent que porte « rose ». L'inversion du complément a porté le verbe en position finale.

4. Premier tercet

Dans l'ensemble de la composition, sa position est logiquement une position-charnière.

Et en effet :

1. *Le vers 1* fait retour sur le vers 1 du premier quatrain : *je suis/suis-je ;* les deux formes se font écho dans le renversement symétrique de l'affirmation en interrogation. Cette transformation décisive est marquée dans la différence de rythme :

$$V\,1 - Q\,1 : ˘\,^{''} /\,˘\,˘\,˘\,^{''} /\,˘\,^{'''} /\,˘\,˘\,˘\,^{'''}$$
$$V\,1 - T\,1 : ^{''} /˘\,^{''} /˘\,˘\,^{'''} /\,˘\,˘\,˘\,^{''} /\,˘\,˘\,^{'''}$$

2. *Le vers 2* rappelle par la forme de l'énoncé le vers 3 du premier quatrain : « *ma* seule étoile *est* morte » / « *Mon* front *est* rouge encor » (possessif de la première personne + nom désignant par métonymie la personne sous un de ses attributs + la copule + l'adjectif attribut). Le rythme des deux vers est strictement parallèle selon le schéma :

$$˘\,²\,˘\,²\,˘\,^{''} /\,˘\,˘\,²\,˘\,˘\,^{''}$$

3. *Au dernier vers* apparaît une forme d'énoncé inédite : « j'ai rêvé » (je + verbe au passé accompli), et c'est sur la reprise de la même formule que se fera le départ du tercet suivant : « *Et j'ai...* traversé ». Si l'on compare les schémas rythmiques :

$$V\,3 - T\,1 : ˘\,˘\,²\,˘\,˘\,^{''} /\,˘\,^{''}\,˘\,˘\,˘\,^{''}$$
$$V\,1 - T\,2 : ˘\,^{''} /\,˘\,˘\,˘\,^{'''} /\,˘\,˘\,²\,/\,˘\,˘\,^{'''}$$

---

1. La rêverie sur le « végétal » condense, en effet, la nostalgie d'un « devenir tranquille et fatal » (Bachelard), un certain désir d'éterniser l'image du couple. La mythologie grecque offre des exemples de métamorphoses, comme le mythe de Philémon et Baucis (La Fontaine. LXII, 25). Ainsi le lierre est proverbialement pris comme symbole de la constance en amour = « Je meurs où je m'attache. » On peut citer *a contrario* : « Cette ville (Lisbonne) est au bord de l'eau ; on dit qu'elle est bâtie en marbre, et que le peuple y a une telle *haine du végétal*, qu'il arrache tous les arbres. Voilà un paysage selon ton goût : un paysage fait avec la lumière et le minéral, et le liquide pour les réfléchir. » (Baudelaire, *Le Spleen de Paris*, 1869).

on se rend compte de leur différence, accusant la séparation des deux tercets entre eux ; par contre, le schéma rythmique de ce dernier vers du premier tercet est rigoureusement parallèle à celui du dernier vers du dernier quatrain.

Sur le plan de l'argumentation, la strophe commence donc par une remise en cause de l'affirmation première, et la question relance une chaîne d'identifications imaginaires, présentée cette fois comme une double alternative. L'alternative rythme l'incertitude, et son redoublement révèle une hésitation entre deux mythologies : la mythologie païenne (Amour, Phoebus), méditerranéenne, remontant à la source du monde, et la légende héroïque nationale (Lusignan, Biron). La quête de l'identité, à la recherche des origines, explore deux étages du temps, superpose deux cultures. Mais le sens de la question en elle-même, et de l'alternative, n'est-ce pas que la série des incarnations possibles de « je » est virtuellement illimitée et que, du même coup, la question est vaine ? L'effort d'identification de « je » se perd dans un labyrinthe.

Le vers qui suit (2) est censé, par proximité, apporter une réponse (interrogation/affirmation) ; mais ce n'est qu'une apparence, car le lien logique entre les deux énoncés est problématique. L'adverbe « encor » occupe le centre du vers, à la césure : l'effet des ondes sonores de la voyelle /o/ est prolongé par la finale /r/. Il dit la présence sensible dans l'écho d'une trace du passé. En ce sens, le vers semble plutôt nous ramener au deuxième quatrain, évoquer une pudique histoire d'amour, où « tu » est devenue « la reine ». Cette transformation inaugure une chaîne d'identifications mythiques, de personnifications allégoriques *au féminin*, qui prend le relais de l'autre jusqu'au bout du sonnet (*la* reine, *la* sirène, *la* sainte, *la* fée). En d'autres termes, le progrès du discours, au lieu d'orienter le sens vers la clarification, nous entraîne dans un nouveau labyrinthe : la seconde « personne » est ici désignée par un titre (c'est-à-dire la *troisième personne*, qui équivaut, selon Benveniste, à la « non-personne ») ; la « personne », convertie en « personnage », perd son identité, se fond dans l'irréalité de la légende. L'événement s'éloigne dans la nuit des temps. L'armature de ce second vers tient sur ses /r/, dont la répétition forme un rythme second, unissant les termes essentiels (front, rouge, encor... reine).

La liaison avec le troisième vers se fait d'abord par la rime (la paronomase « *reine* »/« *sirène* »), les deux vers restant strictement autonomes. Le rapport de rime suggère, par équivalence de position et par homologie syllabique, que le second terme est un *substitut* du premier. Cette équivalence est confirmée par la syntaxe : « la sirène » par rapport à « je » a une fonction logique homologue à celle de « *la* reine » par rapport à « *mon* front ».

Dans cette substitution se lit le passage d'une mythologie à une autre, un éloignement jusqu'aux temps de la fable où les monstres peuplaient encore la terre. Plus encore que l'identité, travestie sous le masque d'un personnage (« la reine »), c'est la forme humaine elle-même qui se dissout : l'image de la femme dans la « sirène » tend à la relier à l'élément original, le liquide, et n'est plus qu'à demi reconnaissable. Cette image de la sirène porte en elle, dans la légende, en même temps que la tentation du désir, la menace d'une mort terrifiante : elle entraîne les imprudents au fond des eaux[1].

Une triple allitération relie *rêvé/grotte/sirène*, et, plus étroitement, les deux termes extrêmes associés par une syllabe commune /-rɛ-/. La voyelle ouverte /ɛ/ est deux fois valorisée par allongement : au début du vers, du fait de sa répétition en deux syllabes consécutives (« j'āi r̈ê- »), et en dernière position à la rime. Et la construction rythmique fait porter l'accent le plus fort sur /nä̈ʒ/ (nage) : à cause de l'inversion syntaxique, et grâce à l'effet du /ə/ muet qui creuse un moment suspensif entre le verbe et son sujet qui le suit, détachant le groupe final où la voix retombe ; ce déplacement allonge la durée du phonème, accentue l'ouverture de la voyelle la plus ouverte (la semi-consonne finale /ʒ/ augmente l'allongement et l'ouverture de la voyelle précédente).

5. Dernier tercet

Séparé syntaxiquement du premier, et surtout par la conjonction « et », le mouvement de cette strophe finale est orienté, vers sa fin, par deux phases suspensives, d'intonation ascendante. Ce mouvement a une base syntaxique : aux vers 1 et 2, de fortes inversions intercalées accentuent le point de césure et en font un moment d'attente :

— attente au vers 1 du verbe séparé de son sujet et de l'auxiliaire (*j'ai*) par l'apposition ;

— attente, aux vers 2 et 3 des compléments successifs du verbe « modulant », dont le premier occupe le second hémistiche du vers 2, et le second le vers 3 en son entier.

Le mouvement des deux premiers vers est orienté parallèlement vers le deuxième hémistiche qui occupe le même espace de vers, avec les deux expressions (/trăvĕrsē l'Āchĕroñ̈ / lă l̈ÿrĕ d'Ōrphée) qui résument cette légende d'Orphée, où la puissance du chant triomphe de « la nuit du tombeau ». (Au premier quatrain, le « luth » n'était encore qu'un *signe*, n'ayant d'autre expression que l'image qu'il portait, « le soleil noir ».)

L'organisation du vers central fait porter l'accent principal sur le mot « *lyre* », et l'écho de la syllabe /-ir/ se prolonge au vers suivant dans « sou*pirs* » ; on en retrouve l'écho symétriquement inversé dans « c*ris* » (ir/ri). Une autre chaîne d'allitération parcourt la ligne sonore de la strophe : le /f/ du premier vers — dont la consonance affaiblie est redoublée dans « *v*ainqueur » et « traversé » — est la consonne anticipée de la rime finale (Or*ph*ée, *f*ée).

---

1. « Et la grotte fatale aux hôtes imprudents » « Delfica », *Les Chimères*. « L'eau, dit Michelet, pour tout être terrestre, est l'élément non respirable, l'élément de l'asphyxie. Barrière fatale, éternelle, qui sépare irrémédiablement les deux mondes. Ne nous étonnons pas si l'énorme masse d'eau qu'on appelle la mer apparut toujours redoutable à l'imagination humaine. Les Orientaux n'y voient que le gouffre amer, *la nuit de l'abîme*. Dans toutes les anciennes langues, de l'Inde à l'Irlande, le nom de la mer a pour synonyme ou analogue le *désert* et la *nuit*. » (Michelet, *La Mer*, 1861). CF. Les Travailleurs de la mer, V. Hugo, 1966. Livre quatrième : les doubles-fonds de l'obstacle.

La fin du sonnet clôt le cycle des identifications : le personnage d'Orphée contient et résume à lui seul tous les précédents. On peut en déduire rétrospectivement, au terme du parcours de lecture, que la liste n'était que la lente maturation de ce terme final. Retour imaginaire aux origines : le mythe raconte le triomphe du chant sur les monstres qui veillent aux portes de la mort (l'Achéron est le fleuve des Enfers qu'on ne repasse pas : « On ne voit pas deux fois le rivage des morts » dit la Phèdre de Racine). Mais il dit aussi son impuissance à ramener Eurydice vivante : elle ne peut plus être « présente » que dans le chant désespéré qui immortalise idéalement le malheur de l'avoir à jamais perdue — la mémoire ne pouvant qu'évoquer des doubles négatifs du passé. Toute la tension rythmique de la strophe (comme dans le sonnet de Ronsard) nous conduit vers une sorte de célébration conjointe du souvenir, et de la fonction du Poète qui en transcrit la trace sonore (les soupirs, les cris). La femme, idéalisée, est incarnée en deux figures symboliques (chrétienne/païenne). L'article « la » la dépouille de toute individualité (dans un des manuscrits, il y a des majuscules à *Sainte* et à *Fée*). A ce final, l'alexandrin classique (césure médiane, partage des deux hémistiches en deux groupes ternaires, pose régulière de quatre accents) offre un espace rythmique, où les groupes sont répartis rigoureusement en proportions numériques équivalentes :

BIBLIOGRAPHIE III

I. Ouvrages ou articles sur le sonnet

L. Aragon. — Du sonnet, « *Lettres Françaises* », 4-2-1954.
P. J. Jouve. — « Sonnets de Shakespeare », *Mercure de France*, 1-5-1955.
H. Meschonnic. — *Pour la poétique III*, NRF 1973, « Essai sur la poétique de Nerval » (p. 15-53).
P. Neruda. — *Le Centenaire d'amour* (« Cien sonetos de Amor », 1959) Club des Amis du livre progressiste, 1965.
O. Paz. — Dans *Renga*, NRF 1971 (« Centremobile », p. 27).
R. Queneau. — Dans *Oulipo* 100 000 000 000 000 de poèmes, mode d'emploi 100 000 milliards de sonnets, NRF 1961. NRF, coll. Idées (p. 247).
H. Weber. — *La création poétique,* 1615, 1955.
Revue *Europe,* Gongora 1977.
On trouve quelques réflexions de Baudelaire sur le sonnet dans *Notes sur Edgar Poe*, et de R. Desnos, dans *Domaine public*, NRF 1953 : « Postface à *État de veille* » (1960) et « Notes sur la poésie » (1944).
Exemples d'analyses de sonnets dans :
« *Langage, musique, poésie* ». Nicolas Ruwet, éd. du Seuil, 1972. Un sonnet de Louise Labbé, « La Géante » de Baudelaire.
« *Essais de sémiotique poétique* ». Larousse 1972, analyse de « El Desdichado » de Nerval. J. Geminasca, p. 45-62.
« *Questions de poétique* ». R. Jakobson, éd. du Seuil, 1973 : analyses de sonnets de Dante (p. 299-318), de J. du Bellay (p. 319-355), de Shakespeare (p. 356-377).

II. Problèmes de l'analyse du discours et de la description des textes poétiques

J. L. Austin. — *Quand dire, c'est faire,* Le Seuil, 1970 (How to do things with words 1962).
E. Benveniste. — *Problèmes de linguistique générale : N.R.F. Gallimard.*
T. I. — *L'homme dans la langue* (p. 225-277) : « Structure des relations de personne dans le verbe », « Les relations de temps dans le verbe français », « De la subjectivité dans le langage ».
T. II. — *La communication* (p. 43-88), « La forme et le sens dans le langage (p. 215-240).
J.-Cl. Chevalier. — « *Alcools* » d'Apollinaire, essai d'analyse des formes poétiques, éd. Lettres modernes, Ménard, 1970.
Cl. Duchet. — *La sociocritique*, Nathan, 1979.
O. Ducrot. — *Dire et ne pas dire*, Hermann, 1972.
M. Foucault. — *Archéologie du savoir* (Définir l'énoncé, la fonction énonciative), NRF 1969. *L'ordre du discours*, NRF 1971.

R. Jakobson. — *Questions de poétique*, NRF 1973, « Le langage en action » (p. 205), « Poésie de la grammaire et grammaire de la poésie » (p. 214), « Structures linguistiques subliminales en poésie » (p. 280).

C. Kerbrat-Orecchioni. — *L'énonciation de la subjectivité dans le langage*, Armand Colin, 1980.

Langages. — N° 24 : « Épistémologie de la linguistique » (1971), N° 37 : « Analyse du discours » (1975), éd. Larousse.

Langue française. — N° 7 : « La description linguistique des textes littéraires » (1970). N° 34 : « Linguistique et sociolinguistique » (1977). N° 49 : « Analyses linguistiques de la poésie » (1981). N° 56 : « Rythme et discours » (1982), éd. Larousse.

On trouvera par ailleurs des analyses de textes dans les revues : *Digraphe, Littérature, Poétique, Pratique*...

H. Meschonnic. — *Pour la poétique II* « Épistémologie de l'écriture », NRF (1973). *Pour la poétique III* « Essai sur la poétique de Nerval », NRF (1973), « Sur Chant d'Automne de Baudelaire ». *Pour la poétique V* « Poésie sans réponse » (1978).

G. Mounin. — *La communication poétique*, « La notion de situation » en linguistique et la poésie, NRF 1969.

M. Pêcheux. — *Les vérités de la Palice*, Maspero, 1975.

Problèmes de l'analyse textuelle. — Didier, 1971.

M. Riffaterre. — *Essais de stylistique structurale*, Flammarion, 1971.

J. R. Searle. — *Les actes de langage, essai de philosophie du langage*, Hermann, 1972.

DEUXIÈME PARTIE

Évolution des formes et du langage dans la poésie contemporaine (rythme, syntaxe, texte)

CHAPITRE I

L'ÉVOLUTION DE LA POÉSIE FRANÇAISE

1. INTRODUCTION

L'évolution de la « poésie » française, depuis cent ans environ est globale : elle touche aussi bien la versification, la rime, la construction en strophes que le rythme, la syntaxe et la notion générale de « poème » ou de « discours poétique ». Et ces différents aspects, dans la mesure où nous parvenons à les isoler dans l'analyse, se manifestent à des degrés inégaux à tel moment donné, dans telle œuvre ou dans tel de ses aspects. Par exemple, si je prends un alexandrin de Rimbaud dans un poème construit sur les règles de régularité du nombre de syllabes, de la combinaison des rimes, de la construction des strophes, l'impression auditive immédiate suffit déjà à m'avertir que cet alexandrin n'est plus le même que celui de Hugo, de Nerval, ou de Baudelaire, qu'il a subi une transformation rythmique interne.

Ces changements qui se manifestent dans la production poétique sont contemporains d'autres changements, aussi décisifs, qui affectent la construction des « rythmes » en général, en musique (Debussy) et en peinture (les impressionnistes) à la fin du XIXe siècle, et annoncent les transformations parfois plus radicales du début du XXe siècle.

2. LA PROSE POÉTIQUE

L'un des premiers signes annonciateurs de ces mutations est la transformation, chez certains écrivains, du travail de la phrase et du rythme dans la prose française, où s'amorce progressivement l'effacement futur de la frontière entre poésie et prose.

● **Exemple 1**

Dans la prose de Chateaubriand l'oreille est sollicitée par une surcharge sensible d'allitérations qui forment un soutien de relais sonores au déroulement de la lecture.

« Le jouR, je m'égaRais sur de gRandes bRuyèRes, teRminées paR des foRêts. Qu'il fallait peu de CHose à ma RêVeRie ! une Feuille SéCHée que le Vent CHaSSait deVant moi, une cabane dont la Fumée s'éleVait dans la cime dépouillée des aRbRes, la mousse qui TRemblait au souFFle du NoRd sur le TRonc d'un CHêne, une Roche écartée, un étang déseRt où le Jonc FléTRi muRmuRait ! »

(*René*, 1802).

— Présence continue du phonème /ʀ/ (huit fois dans la courte première phrase seulement !) ; fréquemment associé au phonème /ɛ/ (ou à sa variante plus ouverte /a/ ; ce couplage pouvant se réaliser de deux façons : CV /ʀɛ/ ou VC /ɛʀ/, par permutation des positions (écho inversé). Leur distribution est régulière (chaque figure deux fois ; plus deux fois /aʀ/). Et dans cette série de quatre, on note en outre que la même variante /ʀɛ/ se rencontre aux extrêmes, l'autre en positions centrales rapprochées (bruy*ÈR*(es)/t*ER*minées).

Cette première phrase se compose d'un alexandrin à cadence régulière (2 + 4 + 6), prolongé d'un heptasyllabe. /ʀ/ se retrouve chaque fois à la coupe.

Les mêmes composants phonétiques forment à la phrase 2 la matière du mot « *rêverie* ». Et le /ʀ/, un moment absent, retrouve en fin de phrase une certaine fréquence (a*r*b*r*es), en particulier associé à /t/ (trois fois /tr/, une fois /rt/, mais aussi dans No*r*d, *R*oche, dése*r*t, mu*r*murait).

— Une autre allitération prend le relais de la première : celle de /f/ et /v/ dont la ligne s'entrecroise à l'autre : *f*orêts, *f*allait, rê*v*erie, *v*ent, de*v*ant, *f*umée, s'éle*v*ait, sou*ff*le, *f*létri.... Elle se prolonge bien au-delà de notre extrait : « sou*v*ent (j'ai ») sui*v*i les oiseaux qui *v*olaient » ... « attends que le *v*ent de la mort se lève, alors tu déploieras ton *v*ol. »

— Il faudrait encore citer le /ʒ/ de « *j*our » et de « *j*e » qui sert de point de départ à une autre série qu'on peut suivre dans : *ch*ose, sé*ch*ée/*ch*assait, *ch*êne, ro*ch*e, *j*onc.

● **Exemple 2**

Chez Hugo, pour qui le vers, à force de métier, semble être devenu un cadre de pensée quasi spontané, la domination du rythme se fait parfois si impérieuse dans ses « romans », qu'elle fait éclater les conventions de l'imprimerie (fondées sur le principe de l'économie qui exige le remplissage maximum de la surface imprimée) :

... C'était du bruit, mais du rêve.
Il regarda et ne vit rien.
La large solitude nue et livide était devant lui.
Il écouta. Ce qu'il avait cru entendre s'était dissipé. Peut-être n'avait-il rien entendu. Il écouta encore. Tout faisait silence.

Il y avait de l'illusion dans cette brume. Il se remit en marche.
Il marcha au hasard, n'ayant plus désormais ce pas pour le guider.
Il s'éloignait à peine que le bruit recommença. Cette fois il ne pouvait
douter. C'était un gémissement, presque un sanglot.
Il se retourna. Il promena ses yeux dans l'espace nocturne. Il ne vit rien.
Le bruit s'éleva de nouveau.
Si les limbes peuvent crier, c'est ainsi qu'elles crient.

                                            (Victor Hugo, *L'Homme qui rit*, 1869).

Fait remarquable, chez un versificateur aussi intarissable que Hugo,
rien ne rappelle ici la cadence des vers comptés : ce discours en prose n'est
pas un sous-produit de l'autre. Les passages à la ligne n'en ont que plus de
force intentionnelle : elles produisent une visualisation, puis une diction
fragmentée où le marquage des fins de séquence ne rappelle au lecteur
aucune convention préalable fondée sur les retours de séries numériques.
Il ne coïncide pas non plus avec des étapes du récit (la succession des actes
du personnage), ni avec les déplacements de points de vue du narrateur
(ex. : les passages du passé simple à l'imparfait), ni avec la division en
« phrases », puisqu'une séquence comprend de une à cinq phrases. Le
« rythme » s'affirme comme une puissance qui entraîne le discours dans
un mouvement, et non comme un dosage calculé de brèves et de longues,
de retour des temps marqués à places fixes, de relais sonores, etc.
    La notion de « prose poétique » ne permet donc de caractériser rien
d'autre qu'une aspiration à dépasser la vieille distinction prose/poésie. Ce
n'est encore pour Littré (1864) qu'une sorte de contamination qui résulte
du transfert sur le sens de l'adjectif « poétique » des « qualités qui
caractérisent les bons vers et qui peuvent se trouver ailleurs que dans les
vers ». Elles peuvent être absentes des vers eux-mêmes : « cette tirade
manque de poésie ». Mais pour Baudelaire, c'est une aspiration nouvelle : « quel est celui de nous qui n'a pas, dans ses jours d'ambition, rêvé
le miracle d'une *prose poétique*, musicale sans rythme et sans rime, assez
souple et assez heurtée pour s'adapter aux mouvements lyriques de l'âme,
aux ondulations de la rêverie, aux soubresauts de la conscience ? »
(*Correspondance* 1861). Et il lie cette aspiration à la situation faite à
l'homme dans le monde moderne : « C'est surtout de la fréquentation des
villes énormes, c'est du croisement de leurs rapports que naît cet idéal
obsédant » (*id.*)[1].

---

1. Cf. Walter Benjamin. *Poésie et Révolution* Denoël. « Lettres Nouvelles 1971 pour la
traduction française ». « Paris capitale du XIXe siècle », p. 123 et sq. « Sur quelques
thèmes baudelairiens », p. 225-237 et sq.
    On peut encore citer Flaubert, dans une lettre à Louise Colet du 24-4-1852 : un style
« qui serait rythmé comme le vers, précis comme le langage des sciences, et avec des
ondulations, des ronflements de violoncelle, des aigrettes de feu... La prose est née d'hier ;
voilà ce qu'il faut se dire. Le vers est la forme par excellence des littératures anciennes.
Toutes les combinaisons prosodiques ont été faites ; mais celles de la prose, tant s'en faut »
(dans « préface à ma vie d'écrivain », le Seuil, p. 71).

3. LE POÈME EN PROSE

Le « poème en prose » ne peut être considéré comme un « genre » nouveau, puisqu'il naît de l'éclatement de la classification en genres (classification héritée de l'Antiquité, et établie selon des critères hétérogènes)[1]. La notion est tout à fait distincte de la précédente (prose poétique), même chez Baudelaire. Essayons d'examiner sur un exemple, en évitant les généralisations hâtives, ce qui peut justifier cette qualification nouvelle de « poème en prose ».

Démocratie

« Le drapeau va au paysage immonde, et notre patois étouffe le
[tambour.
« Aux centres nous alimenterons la plus cynique prostitution. Nous
[massacrerons les révoltes logiques.
« Aux pays poivrés et détrempés ! — au service des plus nombreuses
[exploitations industrielles ou militaires.
« Au revoir ici, n'importe où. Conscrits du bon vouloir, nous aurons la philosophie féroce ; ignorants pour la science, roués pour le confort ; la crevaison pour le monde qui va. C'est la vraie marche. En avant,
[route ! »

(Arthur Rimbaud, *Les Illuminations*).

Le titre annonce un propos « politique » ; mais nous ne trouvons pas, dans le texte, ce qui caractérise les autres discours qui portent sur le même « sujet » — par exemple ceux de Platon, Spinoza, Montesquieu, Rousseau, Tocqueville, Marx, etc., — lesquels procèdent par descriptions analytiques, déductions, définitions, parce qu'ils cherchent à apporter des réponses à de légitimes questions, que doivent se poser des citoyens confrontés aux difficultés de leur histoire.

La singularité du texte est d'abord de nous être présenté « entre guillemets », comme une citation ! Cette convention typographique indique d'habitude qu'on rapporte les paroles de quelqu'un d'autre, dont on a, en principe, précisé l'identité et la situation au moment où il parle (cf. l'historien ou le romancier). Ici le lecteur est privé, ou délié, de ces repères de lecture, celui qui parle est impossible à situer dans l'espace et le temps[2].

Il s'agit d'un discours « utopique », c'est-à-dire non localisable, prêté à un « nous » collectif, d'abord indéfinissable, puis à la fin du texte,

---

1. *Le Spleen de Paris* de Baudelaire, sous-titré « Petits poèmes en prose », depuis la première édition (posthume), comprend des récits (ex. : « Une mort héroïque ») des anecdotes en forme de fables, des doubles de poèmes des *Fleurs du Mal* (« Invitation au voyage », « Un hémisphère dans une chevelure »), et des textes difficiles à qualifier. L'auteur a conscience de cette hétérogénéité du recueil, puisqu'il propose à son éditeur de partager ce « paquet de poèmes en prose en deux ou trois recueils » (Lettre de 1861).

2. Souvenons-nous des formules de Rimbaud, souvent citées : « je est un autre », ou encore : « On ne devrait pas "dire" : je pense, mais "on me pense" ».

assorti d'un qualificatif militaire « conscrits ». D'autres termes militaires sont disséminés : *drapeau, tambour, massacreront, marche, En avant...* ! La syntaxe imprime un rythme fortement ponctué : énoncés brefs, juxtaposés, sans indicateurs logiques, parfois elliptiques (« *La crevaison pour...* »), ou joints par des oppositions violentes (« *ici/n'importe où* », « conscrits du *bon vouloir*/nous aurons la *philosophie féroce* », « *ignorants* pour la *science/roués* pour le *confort* »). La disposition typographique rappelle une division en « strophes », mais non soumise à la loi du nombre et du retour (la répétition de « au » : *aux* centres, *aux* pays, *au* service, *au* revoir — assure régulièrement des points initiaux des relances rythmo-syntaxiques). Chaque énoncé, analysé du point de vue des rapports sémantiques entre sujet/verbe/complément, semble défier les règles de la logique admise. Le temps (futur) est aussi « utopique » que l'espace (« au paysage », « ici », « n'importe où »).

Tous ces traits, « internes » au texte, ne manquent pas d'influencer la lecture, c'est-à-dire de déterminer de la part du lecteur une *attitude particulière* à l'égard de ce qui se dit ici, et qui n'est pas réductible aux propos tenus ailleurs, ici ou là, sur un tel « sujet ».

L'essentiel réside dans cette mise en perspective singulière du discours, qui consiste à le *délier de toute référence à une situation donnée*. Sa destination est aussi imprécise que son lieu d'origine. Ce sont « paroles de nulle part », elles ne sont rattachées à aucune bouche, à aucun corps, à aucune circonstance, — comme ces « paroles gelées » qu'entendirent Pantagruel et ses compagnons : « Me semble que je oy quelques gens parlant en l'air, je n'y vois toutefois personne. » (*Quart Livre*, ch. LV-LVI). Cette *fiction* est la condition qui rend admissibles de tels propos transportant le lecteur lui-même dans une situation imaginaire : un « nous » collectif et anonyme tient un langage à la fois militaire et *subversif* (« la crevaison pour le monde qui va ») ; alors que l'appellation de « conscrits » désigne, en principe, le « peuple » mobilisé pour le *salut de l'ordre* et des valeurs démocratiques !

Dans son livre *La communication poétique* (NRF 1969), le linguiste Georges Mounin remarque que l'une des constantes de la poésie (« depuis 1815 environ ») est « une ambition systématique et tout à fait consciente de supprimer dans le poème « les références à la situation (au sens linguistique du terme) ». Il emprunte cette notion de « *situation en linguistique* » à un autre linguiste, André Martinet, qui y classe tous les faits linguistiques, qui risquent de se perdre dans la communication écrite, qui obligent, par exemple, le romancier, à *recréer* les situations, à consacrer une part notable de l'activité de l'écriture à des descriptions, à des présentations (les situations liées aux messages). Notamment par des *artifices* de langage, tels que les incises : « dit-il, avec force » ou « gémit-il », qui lient le message à un contexte, à un porte-parole inséré dans l'événement et défini selon les règles de l'état civil.

C'est peut-être qu'à partir du moment où la poésie cesse d'accepter d'être exclusivement définie selon des critères extra-linguistiques (= les conditions qui lui sont imposées par la régularité du retour du vers et de la rime), elle éprouve la nécessité d'affirmer sa distinction, dans l'ensemble des productions littéraires, en se plaçant « hors de question ». « La poésie, dit Henri Meschonnic, *commence par* échapper à toute définition, tout lieu, toute question d'origine ou d'inscription. » Hors de toute autre particularité déterminante, c'est là-dessus, nous semble-t-il, sur cette manière de placer la parole « hors de question » que se fonde la notion de « poème en prose »[1].

4. VERS ET PROSE - LE VERS DANS LA PROSE

L'expérience acquise, au cours des siècles, dans la création continue des rythmes à l'intérieur du cadre de la versification, comptée et rimée, a des prolongements et laisse des traces jusque dans la « poésie » contemporaine. Cela s'explique par la continuité de la tradition, qui ne peut s'effacer, d'autant que la connaissance des « classiques » occupe toujours une large place dans l'enseignement du français (en particulier, dans la formation des enseignants) ; mais aussi par le fait que tout art nouveau n'est pas sans fondations, et s'appuie sur (ou se nourrit de) la mémoire du passé.

Mais, dans la mesure où elles ont cessé de faire la loi et donc d'être simplement des « modèles », la réapparition de ces cadences classiques dans des ensembles nouveaux peut prendre un « sens », et l'on peut tenter de l'interpréter dans chaque cas particulier. Cela s'est passé, nous l'avons vu pour la rime, à partir du moment où elle n'est plus seulement un mécanisme.

- **Exemple 1**

Prenons le cas de cette strophe d'Eluard :

> Je t'aime pour toutes les femmes que je n'ai pas connues
> Je t'aime pour tous les temps où je n'ai pas vécu
> Pour l'odeur du grand large et l'odeur du pain chaud
> Pour la neige qui fond pour les premières fleurs
> Pour les animaux purs que l'homme n'effraie pas
> Je t'aime pour aimer
> Je t'aime pour toutes les femmes que je n'aime pas

(*Le Phénix*, 1951).

(Le poème entier est composé de trois strophes, chacune comprenant sept vers.)

Dans cette strophe de vers « libres », on remarque la présence d'alexandrins (vers 3, 4 et 5). Cette suite tend même vers la formation d'un quatrain, car dans le vers 2, de treize syllabes, la diction peut tenir pour

---

1. H. Meschonnic, *Poésie sans réponse*, NRF 1978, p. 11. « D'où parlez-vous ? »

« quantité » négligeable le [ə] final de « je t'aim(e) » ; les deux autres segments du vers (4 + 6) étant de ceux qu'on rencontre couramment dans les dodécasyllabes. Les trois autres alexandrins sont de l'espèce la plus immédiatement repérable, puisque les césures y sont assurées, après le sixième temps, par la division syntaxique, ponctuée de répétitions (Pour l'odeur... et l'odeur... / Pour... pour... / Pour... que...). Historiquement, le quatrain semble avoir constitué l'unité de strophe la mieux adaptée au dodécasyllabe. La mise en place progressive de ce modèle rythmique correspond, dans le cours du texte, à l'expansion des images ; elle inscrit leur succession dans un cadre de mesures régulières, chacune étant nettement délimitée par la répartition équilibrée des pauses ; l'effacement provisoire de l'énoncé de base « Je t'aime » — qui sera repris dès le vers 6 — leur laisse toute la place et leur assure une pleine autonomie ; les accents se posent à intervalles sensiblement équivalents sur les termes *large, chaud, fond, fleurs, purs,* les reliant jusqu'à former entre eux une chaîne de sens.

Ce quatrain d'alexandrins est donc fortement marqué à l'intérieur de la strophe, mais il est intégré dans une démarche d'ensemble ; il n'en est qu'un moment ; il semble naître du mouvement lui-même, au lieu de le fonder, — pris dans une cohérence syntaxique qui le précède et se poursuit au-delà. Dire que c'est une réminiscence du passé (une poésie qui n'arrive pas à se dégager de la tradition, ou qui y revient après divers égarements...) ne nous est d'aucun profit. Par contre, si je relie le fait à l'ensemble des autres données, ce passage, où s'installe une métrique dominée par un ordre rationnel, prend un sens au moment où le discours nous propose comme *sens* de l'amour un ordre du monde « concrétisé symboliquement par quatre images ». (« Tu crois être le doute et tu n'es que raison », dit un autre alexandrin de la troisième strophe du même poème.)

● **Exemple 2**

Des structures « métriques », élaborées en d'autres temps, peuvent être reprises dans des contextes nouveaux où, cessant d'être systématiques, elles peuvent, dans leur diversité même, se justifier par des motivations de sens. Ainsi *Le Roman Inachevé* d'Aragon[1] se présente comme une suite de poèmes distincts, dont chacun est caractérisé par l'utilisation d'un mètre particulier, et en même temps comme un poème unique, une suite de variations rythmiques formant une trame continue. Le passage d'un mètre à l'autre est même, à l'occasion, justifié dans le texte, comme une sorte d'avertissement au lecteur : « Je change ici de mètre pour dissiper en moi l'amertume... ». « Il me plaît que mon vers se mette à la taille des chaises longues / Et le cheval prenne ce pas où son cavalier le réduit... » Le texte dont ces vers sont extraits porte, de surcroît, pour titre « Une respiration profonde », prévenant le lecteur de

---

1. *Le Roman Inachevé*, Gallimard, 1956.

lire *d'abord* le sens dans ce changement de mètre. Le vers est pour le poète une unité de souffle, son amplitude est donc liée au mouvement de notre corps le plus intimement lié à nos émotions et à la respiration.

Il en va de même du passage du vers à la prose :

« Ah le vers entre mes mains mes vieilles mains gonflées nouées de veines
se brise et l'orage de la prose sillonnée de grêles et d'éclairs s'abat toute mesure perdue sur le poème lâché comme un chien débridé qui court à droite à gauche flairant tournant cherchant la rime tombée à terre et cela fait un joli désastre tout ce verre de Venise en morceaux où la bête échappée hurle à douleur et le sang paraît à ses pattes si bien qu'il n'y a plus qu'à se laisser emporter par le torrent par le langage sans autre frein que la souffrance le souffle le cœur défaillant la chute et les genoux couronnés la sueur tout le long du corps détraqué qu'occupe un bondissement déréglé dans sa cage d'os
La guerre c'était hier...

Le « passage » du vers à la prose est explicitement présenté, dans le texte même, comme une nécessité imposée par les faits : « Le pas de fer des chars me dispense enfin de compter sur mes doigts l'ânonnement alexandrin ». La contradiction vers/prose est niée et dépassée, elle cesse d'isoler la poésie et de l'enfermer dans les bornes de la versification. Cette prose, remarquons-le, se distingue cependant par des traits insolites : passages à la ligne, absence de ponctuation, syntaxe abrupte, l'expansion « sans frein » de la métaphore, et les chaînes d'allitérations.

● **Exemple 3**

Fragment d'un texte de Francis Ponge.

La Terre

/Ce mélange émouvant du passé des trois règnes/tout traversé, tout infiltré, tout cheminé/d'ailleurs de leurs germes et de leurs racines, de leurs présences vivantes : c'est la terre.
/ce hachis, ce pâté de la chair des trois règnes./
...

(Premier « paragraphe » du texte de Ponge, dans *Pièces*, 1944-1949, NRF Gallimard).

Dans ce premier « paragraphe » d'un texte qui en comprend neuf, lisiblement détachés par des intervalles, on n'entend et ne lit pas moins de trois alexandrins, qui relèvent de deux modèles de scansion : pour le premier et le troisième (3 × 4), pour le second : (4 × 3), c'est-à-dire utilisant dans les deux cas la propriété du nombre (douze) d'être divisible par (trois) ! Ce ne peut être un fait de hasard. A proprement parler, il ne s'agit plus de vers, la forme réutilisée change de signe : elle signale à l'oreille attentive la permanence d'une cadence ternaire dans un texte où par ailleurs tout nous rappelle le chiffre « trois » (*trois* règnes, *trois* catégories du temps, *trois* participes dans la phrase, chacun de *trois* syllabes, et assortis de *trois* compléments... !) Réutilisation dont la clé se trouve dans une « poétique » propre à Francis Ponge qui cherche « une rhétorique par objet, une rhétorique adéquate à l'objet », et dont il trouve ici le principe dans la matière même du mot « terre », qui se réduit à trois phonèmes prononcés : /tɛʀ/, si l'on s'en tient à sa matérialité sensible, et se trouve être ainsi *homonyme* de « ter » (= trois fois).

De quelque façon qu'il se présente, — héritage d'un passé dont la culture littéraire entretient la présence, — le vers ancien n'est plus perçu en tant que « modèle », n'étant plus le signe de la poésie. Mais, ainsi qu'il en a été pour la *rime*, cette situation étant dépassée, on en arrive à mieux comprendre les *raisons* du vers, que nous dissimulait son application mécanique, à force d'habitude.

CHAPITRE II

LE VERS QU'ON DIT « LIBRE »

1. INTRODUCTION

Nous examinerons dans ce chapitre les problèmes du poème dit à « vers libres », et tous ceux qui se rattachent de près ou de loin à cette innovation.

A première vue, l'innovation consiste à s'affranchir, à la fin du XIXe siècle, d'une convention séculaire, inhérente aux origines de la poésie française, qui liait la notion de « vers » à celle de régularité numérique (un nombre égal d'unités syllabiques dans des séquences successives) et délimitait dans ce cadre le champ des variations possibles. Mais, à la limite, c'est la notion même de « vers », si l'on s'en tient au sens strict, qui risque de devenir caduque, du moment que la pratique nouvelle entre en contradiction avec la définition, et avec elle celle de « rime » (= soutien sonore et garantie sensible de la régularité), comme celle de « strophe » (retour de groupes égaux de vers de même nombre).

1. Le vers « libre » de l'époque classique

Le « vers libre » n'est pas à proprement parler une innovation : les fables de La Fontaine sont construites sur le principe de l'inégalité des vers successifs. Mais le fabuliste est un homme de son temps, et l'oreille de son lecteur y reconnaît les modèles classiques de versification qui lui sont familiers, diversement mêlés. Reconnaissance facilitée du fait que les vers homologues y sont souvent comme ici regroupés en séquences :

Les grenouilles se lassant De l'état démocratique, Par leur clameur firent tant	3 heptasyllabes
Que Jupin les soumit au pouvoir monarchique. Il leur tomba du ciel un roi tout pacifique : Ce roi fit toutefois un tel bruit en tombant,	3 alexandrins
Que la gent marécageuse, Gent fort sotte et fort peureuse, S'alla cacher sous les eaux, Dans les joncs, dans les roseaux, Dans les trous du marécage,	5 heptasyllabes
Sans oser de longtemps regarder au visage Celui qu'elles croyaient être un géant nouveau.	2 alexandrins
Or c'était un soliveau,	1 heptasyllabe
De qui la gravité fit peur à la première	1 alexandrin
Qui, de le voir s'aventurant, Osa bien quitter sa tanière.	2 octosyllabes

(La Fontaine, « Les grenouilles qui demandent un roi »).

Dans ce fragment de fable, on distingue trois types courants de vers : heptasyllabiques, dodécasyllabiques (alexandrins), octosyllabiques, — et d'espèces, les plus régulières si l'on examine à l'intérieur de chacun la place des temps forts qui découpent le vers en segments selon les proportions classiques :

pour les heptasyllabiques :   soit $\smile \smile \acute{} \, / \, \smile \smile \smile \acute{}$ (3 + 4)

soit $\smile \smile \smile \acute{} \, / \, \smile \smile \acute{}$ (4 + 3)

pour les alexandrins :   la césure marquée au temps fort de la sixième syllabe.

Cette « liberté » de La Fontaine (ce qu'il appelle plus justement sa « diversité ») laisse donc intactes les habitudes métriques. Elle se manifeste plutôt dans l'accommodement de l'unité de phrase à des changements internes de « tempo » (passage du rapide au lent et vice versa), divisant son déroulement en phases rythmiques nettement distinctes : les pauses de phrases ne coïncident pas avec les variations de cadence. Et aussi dans les combinaisons de rimes : vers court rimant avec un vers long (v. 2 et 4), enchevêtrement des combinaisons plates, alternées, embrassées (v. 1 et 6) ; une syllabe finale de phrase (pause conclusive) rime avec un vers de la phrase suivante (v. 4 et 5, v. 1, 3, 6, v. 13 et 14).

Dans ce XVIIe siècle où l'activité littéraire reste dominée par la distinction antique des « genres », la fable est admise comme un genre « mêlé », s'appropriant tous les genres, dans une perspective parfois parodique à l'égard des genres sérieux (lyrique, épique, tragique), dont l'alexandrin solennel est le signe officiel.

2. L'époque contemporaine : une disposition typographique nouvelle

La versification dite « libre » (par opposition à celle qui tire ses règles du comptage des syllabes), qui apparaît dans la seconde moitié du xixe siècle, s'appuie sur un contexte nouveau, qu'ont préparé d'autres innovations, comme la « prose poétique » et le « poème en prose » ainsi que le traitement que font subir aux vers comptés traditionnels des poètes comme Verlaine et Rimbaud, transformant radicalement de l'intérieur leur configuration rythmique[1].

Une fois dénoué son lien avec la rime et avec le mécanisme intérieur de la mesure, il reste donc à s'interroger sur la persistance de ce « passage à la ligne », découpant un texte en fragments *arbitraires*, du moins au regard des habitudes de lecture qui ont été façonnées par les techniques de mise en pages, c'est-à-dire par des conventions sur lesquelles se sont accordés les imprimeurs pour disposer les caractères en rangs serrés, égaux, uniformes, sur la surface à remplir, pour noircir le papier.

Considérons ce poème de Pierre Reverdy :

Naissance à l'orage

Toute la face ronde
                    Au coin sombre du ciel
    L'épée
                la mappemonde
sous les rideaux de l'air

                                Des paupières plus longues
        Dans la chambre à l'envers
                Un nuage s'effondre
                    La nuit sort d'un éclair

(*Cravates de chanvre*, 1922, d'après l'édition Flammarion : *Plupart du temps*, 1967).

Pour décrire un texte de ce genre la notion de « vers libre » est singulièrement pauvre, et peut-être, comme nous l'avons suggéré, la notion même de « vers » devient-elle inopérante.

De brèves unités de discours sont réparties sur la surface de la page ; à chacune est réservé son espace propre sur une ligne, où elle se détache (ou se trouve « prise ») entre les blancs (silences initial et final). La disposition spatiale aménage un équilibre entre la part noircie par les caractères d'imprimerie et celle des blancs — beaucoup plus large —, entre la durée de la parole proférée et celle du silence d'où elle surgit, comme du néant, pour de nouveau rester en suspens au seuil du vide où son écho se prolonge dans la pensée, — avant de poursuivre son cours, du même mouvement toujours fragmenté.

---

1. Ainsi, écrit Mallarmé : « Les fidèles de l'alexandrin, notre hexamètre, *desserrent intérieurement* ce mécanisme rigide et puéril de sa mesure ; l'oreille, *affranchie d'un compteur* factice, connaît une jouissance à discerner, seule, toutes les combinaisons possibles, entre eux, de douze timbres » (*Crise de vers*, 1895).

La « disposition typographique » participe à la formation du texte, elle lui est propre, au lieu d'être figée par une convention uniforme : elle est, dit Reverdy, « une *indication plus claire pour la lecture*, enfin une ponctuation nouvelle, l'ancienne ayant peu à peu disparu par inutilité de mes poèmes »[1].

Dans le poème de Reverdy, la lecture, autrement dit la constitution du sens pour le lecteur, passe d'abord par une visualisation globale de la page écrite, où les passages à la ligne n'ont pas tous la même valeur intentionnelle de silence. Ainsi deux interlignes plus importants découpent l'ensemble en trois moments distincts de proportions décroissantes : ce mouvement de rétrécissement progressif ménage l'apparition du segment final, isolé dans sa brièveté.

D'une ligne interrompue, la suivante semble prendre le relais, au niveau du point d'arrêt de la précédente, tandis que d'autres font retour jusqu'à la bordure de la page. Enfin la présence ou absence de la majuscule initiale est une indication supplémentaire du degré de discontinuité entre les parties du discours : dans la typographie ordinaire, elle signale en effet en début de phrase dans la prose, ou de vers dans la versification, la place d'un accent d'insistance renforcé.

Quel peut être le *sens* de cette entreprise que le sens commun n'a pas encore admise ? Briser la *linéarité* du discours (narratif, lyrique) — ce que cherche à « représenter » le chevauchement des lignes sur la page —, c'est rompre en effet avec une longue tradition de rhétorique qui a imposé le moule d'un déroulement continu, soutenu par une logique d'enchaînement. Mais ce n'est pas mettre les mots « en liberté » (théorie « futuriste »,... « fondée, selon Breton, sur la croyance enfantine à l'existence réelle et indépendante des mots » (*Légitime défense*. Révolution Surréaliste déc. 1926). C'est aller vers la concentration, et le poème est ce qui reste de cet effort :

> « ... *ce bout de glace entre les doigts ou cette cendre !*
> *Tout le reste a été consumé à l'intérieur. Dehors, il n'y a plus que le reflet des flammes. Car le poète est un four à brûler le réel.*
> *De toutes les émotions brutes qu'il reçoit, il sort parfois un léger diamant d'une eau et d'un éclat incomparables. Voilà toute une vie comprimée dans quelques images et quelques phrases.* »

(Pierre Reverdy, *le Gant de crin*, 1927, Flammarion, 1968).

La notion de poème « libre », ou de vers « libre » n'est pas suffisante pour rendre compte de la matérialité des faits. La question qui est posée est celle du « sujet » (celui qui parle), de son rapport au langage, et de l'*ordre* du texte de l'espace et du temps. Le poème de Reverdy répond assez exactement à la définition que donne, à la même

---

1. *Self Defence*, 1919, Flammarion, 1975.

époque, son contemporain Fernand Léger de la composition picturale : « un *état intensif organisé* »[1]. L'œuvre d'art est un *équilibre de forces*, de formes, de valeurs, d'idées, de lignes, d'images, de couleurs » (*Le Gant de crin.*) Écrire ou peindre n'a pas pour but de reproduire, imiter, représenter, — c'est-à-dire de raconter, de décrire, de mimer des émotions (« lyrisme par quoi on a pu autrefois chercher à émouvoir... bercement du vent sortant d'un tuyau creux... ronflement sonore... effets de la voix. » *id.*)

Ci-contre : « Élément mécanique sur fond rouge ». Musée F.L. Biot, reproduit dans *Fonctions de la peinture* de Fernand Léger.

2. LA SUPPRESSION DES SIGNES DE PONCTUATION

« Le rythme et la coupe du vers voilà la véritable ponctuation, et il n'y en a pas d'autre. » Apollinaire, 1913.

On constate que l'absence de signes de ponctuation, fait déjà ancien et largement généralisé dans les textes poétiques, est encore difficilement

1. *Fonctions de la peinture,* 1922, Gonthier, 1965.

acceptée. Soit qu'elle suscite une violente réaction de rejet, comme celle de monsieur de Montherlant, lequel y voyait un signe de « notre avachissement national », au même titre que « la morale des midinettes » ! Soit qu'on évite sournoisement d'en parler, comme dans l'enseignement (en tout cas dans tous les livres qui lui sont destinés), ce qui conduit à faire adopter aux élèves une attitude ambiguë, comme dans ces conseils donnés à des candidats à propos d'un poème d'Eluard : « Il n'est pas inutile de tenir compte du manque de ponctuation... il peut être prudent de rétablir pour vous-même cette ponctuation, etc. » (Annales du Baccalauréat 1973-1974)[1].

L'incohérence du conseil est révélatrice de la carence de l'école, qui néglige d'apprendre ce qu'est le système des signes de ponctuation, négligence qui va de pair avec le silence de l'enseignement sur les aspects prosodiques de la langue française, et sur les conditions du passage de la parole à sa transcription. La « ponctuation » est naturelle à la parole, elle est liée à la pose de l'accent, en particulier de l'accent d'acuité (ou de « hauteur »). Les traits prosodiques ne sont pas *visibles* dans la transcription écrite de la parole, le lecteur les rétablit dans la lecture, avec une marge d'interprétation personnelle non négligeable. Le « signe de ponctuation » n'est qu'un soutien supplémentaire de la lecture. Mais ces signes ont des fonctions hétérogènes ; tantôt c'est un guide de « l'analyse logique », divisant le discours en phrases, la phrase en propositions, la proposition en ses constituants syntaxiques (ex. l'énumération) ; tantôt, avec le point d'interrogation, c'est le signal d'une forme particulière d'énonciation : la question, qui fait parfois double emploi avec des indicateurs linguistiques plus explicites comme : est-ce que ? comment ? pourquoi ? ; tantôt, avec les points d'exclamation ou de suspension, la ponctuation écrite a des fonctions diffuses ; elle cherche à imprimer à la diction des intonations affectives et pathétiques, de sens divers. On peut comparer, de ce point de vue, la ponctuation d'un discours didactique avec celle de la prose littéraire de Céline, par exemple, où foisonnent les signes de ponctuation pour tenter de compenser la disparition des indications de l'activité de la voix dans l'écriture, et inviter le lecteur à en reporter le mouvement dans la diction.

« La suppression des signes de ponctuation s'explique, dit Reverdy, par les raisons qui ont amené l'emploi d'une disposition typographique nouvelle » (*Nord-Sud* 1917) : « Ce n'est donc pas une liberté, c'est au contraire un ordre supérieur qui apporte une clarté nouvelle... ». Une exigence nouvelle peut-elle se réaliser sans dépasser les cadres anciens ?

Le conflit entre les écrivains et les habitudes de ponctuation n'est pas nouveau.

Par exemple : Diderot ponctue : « La sagesse du moine Rabelais, est la vraie sagesse » ou « Vous conçûtes donc là, une terrible haine contre le

---

1. Dans un livre scolaire récent (1977), à l'usage des classes de 6e et de 5e, on propose l'exercice suivant : « Le poème suivant n'a pas été ponctué par son auteur, quelle ponctuation proposeriez-vous ? » (Les poèmes sont d'Apollinaire et d'Eluard). On place donc l'élève en position de *corriger* un poème ! Fâcheuse suggestion : l'auteur aurait *donc* commis une négligence, à réparer !

génie », séparant le verbe de son sujet ou de son complément par une virgule (*Neveu de Rameau*). C'est aller contre le principe pédagogique de l'analyse logico-grammaticale, qui fonde l'unité de pensée minimale sur le groupe (Sujet/prédicat, ou sujet/verbe/complément) et préférer une ponctuation de type « accentuel », suggérant au lecteur une théâtralisation vivante qui rende *sensible* l'intervention de celui qui parle. Victor Hugo a le souci d'assurer la prééminence du vers, en tant qu'unité de base, dont il faut à la fois sauvegarder l'ampleur et l'unité : « Il est triste, dit-il, de faire ce vers :

Elle ayant l'air plus triste et lui l'air plus farouche
et de le retrouver ainsi tatoué et marqué de petite vérole :
Elle, ayant l'air plus triste, et lui, l'air plus farouche.
Il se plaint de « la maladie des virgules qui hachent le vers à faire horreur »
(*Lettre à Paul Meurice*, 1859).

Ainsi Apollinaire, dans *Alcools*, débarrasse ses poèmes de cette surcharge typographique de façon que rien ne vienne brouiller la netteté d'une lecture axée sur le décompte des vers, sur la rime, et sur le groupement des strophes. Choix devenu nécessaire au moment où la démarcation des vers ne coïncide plus, comme c'était le cas dans la versification codifiée par les classiques, avec la division syntaxique.

3. UNE SYNTAXE NOUVELLE : LE DÉPASSEMENT DE LA PHRASE

> « *Qu'on ne nous parle pas, dit Reverdy de la syntaxe comme d'un moule immuable, selon laquelle chacun devrait écrire, aurait dû s'exprimer de tous temps. La syntaxe est un moyen de création littéraire...* » (*Nord-Sud 1918*)...

Chaque poème aurait donc *sa* syntaxe, son équilibre propre, entre silences et paroles, représentés sur la page par une disposition spatiale. Pas de conciliation imaginable entre cette théâtralisation orale où joue un rôle rythmique, vital, éminent les proportions du vide (cf. *Les balances du silence* de Paul Éluard, p. 137) — et le système des signes de ponctuation superposé à une segmentation analytique du discours en « phrases », de la phrase en « propositions » hiérarchisées (principales, subordonnées), elles-mêmes décomposées en « syntagmes ». La proposition élémentaire « sujet/prédicat » serait, selon la définition du *Robert,* le modèle « apte à représenter pour l'auditeur *l'énoncé complet d'une idée* conçue par le sujet parlant ».

Ce modèle hérité des logiciens de l'Antiquité, transporté tel quel dans nos grammaires, serait-il intemporel ? « La *vieille* sentence, dit Mallarmé, avec un verbe, invariable, me fait l'effet d'une chimère et reste, pour les grandes synthèses compliquées de sentiments, l'orgueil d'un *autre* art ». Et Aragon : « Nous vivons sur une idée du langage qui a vieilli ». L'incorrection est un principe d'inspiration poétique : « Tout a commencé par une faute de français » (Le *Fou d'Elsa,* 1964), le « phrasage » trouble la diction des vers. Prenant à rebours le principe sacro-saint de l'exercice de construction de phrase, il fait l'éloge de l'équivoque : « J'aime les phrases qui se lisent de deux façons et sont par là riches de deux sens, entre lesquelles la ponctuation me forcerait de choisir. Or je ne veux pas choisir. Si je veux dire les deux choses, il me faut donc écrire moi-même, choisir moi-même mon équivoque. Cette équivoque volontaire est un enrichissement du sens »[1].

L'obstacle pédagogique à la lecture de la poésie « moderne » (dite encore telle malgré son âge... !) n'est-il pas dans cette pédagogie du français dont l'unique objet est la « phrase », constituée autour du noyau « nom + verbe + complément » ? « Un tout équilibré par lui-même, et ne devant rien grammaticalement à ce qui le précède ou à ce qui le suit »[2]. Laquelle serait le cadre incontournable de l'expression d'une idée, de la production d'*un* sens, au point qu'on se heurte à l'opinion tenace que les poèmes modernes n'ont-pas-de-sens, cultivent le non-sens, laissent le lecteur libre-de-leur-donner-le-sens-qu'il-veut... C'est ce terme de « *sens* », lui-même chargé en principe de tout simplifier — qu'il s'agisse d'un mot, d'une proposition, d'une phrase, ou encore d'un événement, d'une attitude — dont il conviendrait de codifier l'usage.

Pour justifier une disposition typographique nouvelle, polyphonique, Mallarmé parle justement des « divisions prismatiques de l'idée ».

La notion de « phrase » est si inconsistante que le linguiste G. Mounin en recense pas moins de deux cents définitions « fondées séparément ou en corrélation sur trois critères — si l'on ne tient pas compte d'un quatrième, presque toujours implicite, qui... veut qu'on travaille en fait seulement sur des phrases écrites »[3]. Un autre situe le centre des difficultés de l'analyse du discours « dans le caractère relativement *arbitraire* de la procédure de segmentation fondée sur le critère de la phrase,... dans le présupposé théorique qui relie phrase-proposition-énoncé ». Or ces notions de « phrase » et de « proposition » « ne sont pas autrement justifiées que par

---

1. *Entretien avec Francis Crémieux,* NRF, 1964, p. 146-156. « Simples comme l'âne et stupides comme le chardon, vous n'avez pas remarqué avec quelle impavidité je foule systématiquement aux pieds sur le feuillage noir de tout ce qui est sacré — la syntaxe ? Systématiquement. Or on se demande quel profit singulier je pense tirer de ce piétinement incompréhensible... Je ne piétine pas la syntaxe pour le simple plaisir de la piétiner ou de piétiner. D'abord je prends très peu de plaisir par les pieds et le plaisir que je prends par les pieds n'est que d'une façon très exceptionnelle celui du piétinement. Je piétine la syntaxe parce qu'elle *doit* être piétinée. *C'est du raisin. Vous saisissez,* etc. » (Traité du style, p. 28, NRF, 1928). La vertu (c'est-à-dire : la *ruse*) d'une métaphore permet ici de retourner l'accusation : le geste de « piétiner » n'est un symbole de profanation qu'à partir d'une attitude mystique présupposée, accordant à la syntaxe une sorte d'autorité sacrée. Le transfert de contexte de la métaphore à la sphère des activités pratiques, productives et nourricières (la vendange) établit au contraire une analogie entre le rapport productif du poète à sa langue et au langage et celui de l'homme à la nature dans la relation de travail.

2. Wagner et Pinchon, *Grammaire du français classique et moderne.*

3. Georges Mounin, *Clefs pour la linguistique,* Seghers, 1968, p. 121.

une description de leurs constituants : la phrase se décompose en... la proposition se décompose en... »[1].

Les poètes dont nous parlons, prenant leur langue comme *objet de travail,* travaillent du même coup sur certains préjugés la concernant qui ont valeur d'institution. L'évolution est parallèle dans les autres arts : les formules de Reverdy et de F. Léger appliquées à leurs domaines respectifs sont presque identiques. Quant à la musique : « La grande nouveauté du début de notre siècle réside dans l'abandon de la mélodie, c'est-à-dire des *phrases* mélodiques, pour constituer chaque note en objet, au lieu de la reprendre toujours dans la même combinaison, dans le même *phrasé...* Il s'agit de mettre les notes en rapport selon leurs valeurs. » (Pierre Boulez, conférence à l'IRCAM, 1977)[2].

« La liberté n'abolit pas la nécessité. Même s'il n'obéit plus à un pendule régulateur, la prééminence du vers n'est pas pour autant effacée. On trouve dans les poèmes d'Éluard bien des alexandrins (parfois même réunis en quatrains), mais sont-ils encore reconnaissables en tant que tels, *au passage,* dans le mouvement rythmique où ils viennent se placer, c'est-à-dire s'imposer ?

« Le vers libre a tous les droits sauf celui de ne pas être un vers » (Jean Royère)[3].

---

1. Pêcheux et Fuchs, *Langage n° 37,* Larousse, mars 1975. À ces considérations de linguistes, joignons celles-ci de deux écrivains :
Jean Tardieu : « Dans les langues dites » évoluées, la phrase est on le sait, un organisme, un être complexe doué de fonctions vitales distinctes, bref une sorte de mammifère supérieur, avec ses organes de respiration (les conjonctions), de préhension (les substantifs), de propulsion (les verbes, les adverbes), son chatoyant pelage (les adjectifs)..., etc. (« Frontispice et triptyque de mortel été », dans *Formeries,* NRF, 1977.)
Et Michel Butor : « Tous les éléments qui sont à l'intérieur de « Mobile » peuvent être compris comme les détails d'une phrase immense, se reposant de chapitre en chapitre ; une espèce d'arche qui va prendre tous les éléments grammaticaux à tel point que la différence entre phrase et non-phrase est abolie, ce qui produit un ensemble énorme de fonctions grammaticales à toutes sortes de degrés », (entretien dans *France Nouvelle,* 2-5-1978). [Autrement dit, l'objet du travail poétique serait cette entité grammaticale « la phrase ».]

2. « Les lecteurs de Proust savent à quel point, au début de ce siècle, l'analyse de l'impression musicale et l'attribution d' « *un sens s* » à un groupement de notes restent tributaires de ce concept grammatical de « phrase » — la « petite phrase » de la sonate de Vinteuil. *(Un amour de Swann).* »

3. « Il n'est plus le composé systématique de règles coercitives et normatives, hors desquelles il serait « faux », c'est-à-dire blâmable parce que contre-vérité eu égard à lui. Il est toujours, je crois, une unité verbale, chose complexe à la manière du corps (...), qui lui aussi est une unité. Mais il n'est plus définissable par la somme et la logique des interdits qu'il s'assignait. Autrement dit, il s'est déconstruit en échappant à certaines entraves. Alors, on l'a dit *libre.* Je pense que l'emploi irréfléchi du terme fut imprudent », Jean Tortel, *Poètes d'aujourd'hui,* 1984. Entretien avec H. Deluy, p. 72.

CHAPITRE III

COMPARAISON — MÉTAPHORE — IMAGE POÉTIQUE

Dans l'emploi de ces trois termes, l'usage nous a légué la plus grande confusion, les considérant comme interchangeables, sans la moindre distinction. Cette confusion est nuisible, en ce qu'elle masque des problèmes importants. D'autant plus nuisible qu'en même temps il est devenu commun, ici et là, de caractériser la poésie comme langage métaphorique, ou « imagé ». Un dictionnaire à vocation scolaire la définit ainsi :

« La parole, quand elle exprime *l'idée* au moyen *d'images* et du langage rythmique. »

Formule qui pousse inévitablement à réduire l'explication d'une image à sa traduction en idée, c'est-à-dire à sa destruction. On croit tenir là un trait distinctif d'un « langage poétique ». La métaphore (ou l'image) serait le domaine propre de la poésie, en même temps qu'elle tendrait à s'éliminer de la prose, celle-ci étant orientée vers la précision et la certitude.

Il est vrai qu'à l'appui de cette thèse on peut invoquer le témoignage de G. Flaubert hanté par le problème de la « prose » : « ... Je suis gêné par le sens métaphorique qui décidément me domine trop. Je suis dévoré de comparaisons, comme on l'est de poux, et je ne passe mon temps qu'à les écraser : mes phrases en grouillent...[1] ». Mais nous pensons avoir montré précédemment que toute l'évolution, au cours du XIXᵉ siècle, vise à effacer progressivement cette vieille distinction entre prose et poésie. Il convient de se prémunir contre des formules abusivement simplifiées qui servent trop souvent de support à la pédagogie. La métaphore est un fait du langage courant.

---

1. Gustave Flaubert, *Correspondances*, 1852.

1. LA COMPARAISON

Elle est d'abord une opération de la pensée, qui consiste à rapprocher deux objets pour en apprécier les similitudes et les différences. A ce titre, elle est un acte élémentaire de la connaissance, répondant à une exigence de classement en genres et en espèces des choses de notre univers. « L'acte de comparaison, dit le psychologue Henri Wallon, suppose un pouvoir de différenciation intellectuelle qui tienne hors de toute confusion mutuelle et de toute diffusion réciproque deux systèmes d'images, tout en maintenant distincte, comme un critère à leur appliquer, sur quoi mesurer leurs coïncidences et les non-coïncidences, une qualité qui, pour leur être reconnue commune, doit d'abord être séparée d'eux[1]. »

Aussi bien dans les exposés scientifiques que dans la conversation courante, elle est fréquemment utilisée pour son efficacité didactique, dès que l'explication se heurte à des difficultés, ramenant l'inconnu au connu, l'abstrait au concret.

Exemple 1

Alain : *Je m'en vais te bailler une comparaison*
Afin de concevoir la chose davantage.
Dis-moi, n'est-il pas vrai, quand tu tiens ton potage,
Que si quelque affamé venoit pour en manger,
Tu serais en colère, et voudrois le charger ?
Georgette : *Oui, je comprends cela.*
Alain : *C'est justement tout comme :*
La femme est en effet le potage de l'homme ;
Et quand un homme voit d'autres hommes parfois
Qui veulent dans sa soupe aller tremper leurs doigts
Il en montre aussitôt une colère extrême.

(Molière, *L'École des femmes*, acte II. 5. (V. 502. 512.)

La « valeur » de la comparaison est liée à la situation : Alain se pose en pédagogue, la comparaison est un moyen, de celui qui sait à celle qui ne sait pas. Situation comique pour le spectateur : le « maître » est un valet, il emprunte pour la circonstance une position de condescendance didactique, et s'affirme porteur de vérité. Pour mettre à l'aise l'ignorante — la femme —, l'homme lui parle de *son* domaine le « potage ». Dans la culture littéraire, une hiérarchie des valeurs rejette dans la vulgarité, le grossier, ce qui concerne la nourriture, la cuisine, les fonctions digestives, etc. Or il s'agit ici d'un problème sérieux : le mariage. Par une sorte de contamination rétroactive, la qualité du comparant rejaillit sur le comparé : l'institution sanctionnée par les autorités les plus respectées (la loi, l'Église) est ramenée à un geste de cuisine : tremper ses doigts dans la soupe ! Comparé en retour à ce qu'il est chargé d'expliquer (l'esprit fait la comparaison dans les deux sens), le geste évoqué par l'exemple prend

---

1. *Les Origines de la pensée chez l'enfant*, « La comparaison », tome II, chap. II, 1947, p. 23.

métaphoriquement un sens indécent, obscène : il dévoile impudemment, sinon à l'innocente Georgette, du moins au spectateur qui rit de cette innocence, ce qui se cache derrière la scène, c'est-à-dire derrière la cérémonie, dans la cuisine, c'est-à-dire l'envers du décor.

Dans cet usage didactique, la valeur de la comparaison est d'ailleurs l'objet de critiques. Les hommes de science n'y recourent qu'en s'excusant : « ce n'est qu'une comparaison » ou « toute comparaison n'est qu'approximative ». Montaigne se moquait du poète latin Ovide décrivant le « char » du soleil (le timon était d'or, d'or le cercle de la roue, d'argent la série des rayons) : « Vous diriez que nous avons eu des cochers, des charpentiers et des peintres qui sont allés là-haut dresser des engins à divers mouvements[1]. »

La comparaison est ici condamnée à cause de son caractère « homocentriste ». La « faute naturelle » de l'homme étant de ramener ce qu'il ne sait pas à ce qu'il sait, c'est-à-dire à ses propres activités, ce qui ne peut évidemment pas faire avancer la connaissance[2].

Mais, en sens inverse, on reconnaît au mouvement de la comparaison une valeur cognitive irremplaçable : « à partir de ressemblances connues, dit Aristote, il est possible d'inférer des ressemblances inconnues ». Et le psychologue contemporain déjà cité, observe, dans l'apprentissage qu'en fait l'enfant, un « moyen puissant d'extension imaginative... elle va du connu, du familier, du subjectif à l'inconnu » (id. p. 22).

Exemple 2

Dans le poème homérique, la phrase comparative forme une trame continue, déroulant comme une tapisserie, dans l'alignement infini des comparaisons, « les mille perspectives entrevues dans la nuée du monde » (Victor Hugo).

« Quand, au sommet d'un mont, le feu dévastateur embrase une forêt immense, l'incendie est visible de loin : *ainsi*, de leur armée en marche s'élevant, l'étincelant éclat de l'innombrable airain traverse tout l'éther et monte jusqu'au ciel.

...

Comme, au printemps, l'on voit, dans l'étable à brebis, lorsque le lait remplit les vases jusqu'au bord, des mouches s'envoler en pelotons compacts : *aussi nombreux*, les Achéens aux longs cheveux font halte dans la plaine face aux Troyens...

Comme des chevriers reforment aisément leurs immenses troupeaux, quand leurs bêtes en pâturant se sont mêlées : *ainsi* les chefs, les uns ici, les autres là, regroupent leurs guerriers avant de les lancer au cœur de la bataille.

(Éd. *La Pléiade. Iliade*, chant 2 vers 446-481).

---

1. *Essais*, Livre II, chap. XII.

2. Le philosophe G. Bachelard critique, de même, la manière dont Franklin et Marat prétendaient « expliquer » la machine électrique au xviiie siècle « en la comparant à une pompe ». « Les connaissances objectives, dit-il, se concentrent souvent autour d'objets privilégiés, autour d'instruments simples qui portent le signe de l'homo faber. » (*La formation de l'esprit scientifique*, J. Vrin, 1967, p. 80).

A propos d'un fait du récit : le regroupement des guerriers pour le départ, les comparaisons multiplient les points de vue et diversifient les horizons. La continuité du récit est fragmentée, à chacun des aspects de l'action ainsi divisée correspond une comparaison. Le lecteur, pour la suivre, est entraîné dans des détours qui le transportent bien loin du champ des événements. Il est constamment confronté en imagination à une double perspective, qui met en rapport la logique de la guerre et de la tragédie héroïque avec le train du monde que les guerriers ont quitté et où se poursuivent les activités ordinaires qui échappent aux contingences des passions humaines.

La comparaison n'a rien perdu de ses pouvoirs, aux yeux des poètes de notre temps. Au contraire, pour le surréaliste André Breton, le mot *comme* devient l'équivalent d'une formule magique, une sorte de « Sésame ouvre-toi » :

> « Le mot *comme* devient le mot le plus exaltant dont nous disposions. » La comparaison annoncée par « comme » présente, selon lui, par rapport à la métaphore, « de considérables avantages de suspension (qu'on en juge par les "beaux comme..." de Lautréamont[1] »).

Et ce point de vue ne lui est pas personnel : « Comme, je dis comme, et tout se métamorphose, le marbre en eau, le ciel en orage, le vin en plaine, le fil en six, le cœur en peine, la peur en Seine.[2] »

Cette exaltation des pouvoirs de la comparaison prend son sens dans les objectifs du mouvement surréaliste, qui se propose d'anéantir la vieille raison, en dépassant les catégories logiques : l'animé/l'inanimé, la nature/l'homme, l'abstrait/le concret, le subjectif/l'objectif, qui fixaient traditionnellement les bornes des comparaisons. Le mot « comme », au lieu de joindre deux termes entre lesquels il inviterait à découvrir une ou des qualités communes, sert d'intermédiaire pour des rencontres fortuites, et favorise des coïncidences incontrôlées et révélatrices d'impulsions insoupçonnables : « le hasard serait la forme de manifestation de la nécessité extérieure qui se fraie un chemin dans l'inconscient humain »[3].

Ainsi peuvent se construire des poèmes entiers où s'échelonnent à perte de vue les « comparaisons » les plus insolites : « Tout est comparable à tout, tout trouve son écho, sa raison, sa ressemblance, son opposition partout. Et ce devenir est infini. » (Eluard)

L'acte de comparer ne se réduit donc pas, ni dans les sciences, ni dans le domaine poétique, à prendre acte de la réalité, en faisant un choix, le plus « juste » possible, entre les classifications admises et à la mesure des idées reçues..

Ces rapprochements aventureux qu'il propose comme au hasard sont les signes de l'insatifaction, et de l'effort d'un désir tendu vers l'impossible.

1. André Breton, *Signe ascendant,* 1947.
2. Robert Desnos, *Les sans cou,* 1934.
3. André Breton, *L'Amour fou,* 1937.

« Comparer, c'est chercher à circonscrire l'incomparable »[1] :

La vie comme un champ inégal
　　　　　　　　gal
　　　　　　　　　　et le champ
　　comme un infirme qu'on porte au soleil
　　　　　　　　　　　　　leil
　　　　　　　　　　　　　　et le soleil
　　comme une borne où la terre vient virer
　　　　　　　　　　　　　　rer
　　　　　　　　　　　　　　　et la terre
　　comme le texte qu'un myope ajuste à ses yeux
　　　　　　　　　　　　　　　　yeux
　　　　　　　　　　　　　　　　　et
　　comme la vie.

(Michel Deguy, Ouï dire, 1966).

Ajoutons, pour compléter, que la pratique, et donc l'étude de la comparaison ne sauraient être limitées aux cas où elle est signalée dans le texte par des indicateurs explicites (*comme, comme si, pareil à..., on dirait...*), ou par la structure syntaxique qui lui est appropriée (la phrase comparative). Elle est présente dans la négation, la substitution de terme à terme, les paraphrases, et dans tout parallélisme ou toute symétrie syntaxique et rythmique. Dans le *Discours sur l'origine de l'inégalité* de J.-J. Rousseau, dont l'argumentation s'appuie sur quelques comparaisons par opposition (la raison/la pitié ; l'homme sauvage/l'homme policé), une rhétorique de la comparaison organise tout le mouvement syntaxique, toutes les paraphrases successives du développement.

On peut le vérifier aussi sur des textes qui n'ont pas une stricte vocation didactique/démonstrative. Par exemple sur cet extrait des *Misérables* : « ... La barricade tremblait ; lui, il chantait. Ce n'était pas un enfant ; ce n'était pas un homme ; c'était un étrange gamin fée. On eût dit le nain invulnérable de la mêlée. Les balles couraient après lui, il était plus leste qu'elles... »

La comparaison est ici omniprésente dans la syntaxe : dans la juxtaposition/opposition « la barricade/lui... », et dans le rapport des deux verbes associés aux sujets respectifs (tremblait/chantait) ; dans l'opposition négation/affirmation (« ce n'était pas/c'était) ; dans la formation du mot composé « gamin fée » ; dans la formule de présentation « on eût dit » ; dans l'inversion croisée des fonctions syntaxiques : « les balles » (sujet) → « elles » (complément) / « lui » (complément) → « il » (sujet). « Le cas particulier de la *comparaison* montre comment la poésie s'efforce de se constituer en langage spécifique. Elle s'approprie une « fiction linguistique », une catégorie grammaticale, et en fait un usage qui déborde les conditions habituelles de son utilisation.

---

1. Michel Deguy, *Actes*, 1966, Lecture de Saphô.

Dans tous les cas, il ne saurait être question d'étudier une comparaison prise isolément, elle est toujours inséparable d'un contexte où elle prend naissance, qui lui donne sens. Et en retour, elle n'est qu'un élément parmi les autres, y compris la prosodie et le rythme, qui contribue pour sa part à l'élaboration du sens du texte, pris dans son ensemble.

2. LA MÉTAPHORE

1. Définition ancienne

La métaphore, dès l'Antiquité, a été définie comme une opération strictement *intralinguistique* : « La métaphore est le transfert à une chose d'un nom qui en désigne une autre, transport ou du genre à l'espèce ou de l'espèce au genre, ou de l'espèce à l'espèce ou d'après le rapport d'analogie.[1] »

L'efficacité des métaphores, selon Cicéron[2] tiendrait au fait qu'elles s'adressent directement aux sens[3].

Il distingue deux types de métaphores :

1) celles qui naissent du besoin, c'est-à-dire de la pénurie des mots : si un objet n'a pas de nom qui lui soit « propre », il faut aller par nécessité « emprunter » ailleurs ce qui nous manque. Et l'exemple le plus immédiat nous est fourni par cette description qu'il fait de la métaphore, elle-même entièrement « métaphorique », puisqu'elle « emprunte » tous ses termes à un vocabulaire juridique appliqué aux relations de débiteur à créancier : « ce qui appartient en propre » (*verba sua* ou *propria*) « ce qui appartient à autrui » (*aliena verba*) ; les métaphores sont des sortes « d'emprunts », etc. Les termes qui en désignent le mécanisme sont eux-mêmes métaphoriques puisqu'ils « importent » dans l'analyse d'un fait linguistique, faute de mieux, la notion d'espace (transférer, transposer), de déplacement, qui est parfaitement hétérogène à la nature de l'objet visé : le langage ;

2) celles, « plus hardies », qui visent à procurer du plaisir et de l'éclat au style (même quand la langue fournit une grande abondance de mots appartenant au même objet), car c'est un trait de la nature humaine « de sauter par-dessus ce qui est à nos pieds et d'aller chercher au loin ce qu'on veut retenir », les expressions « empruntées » plaisent davantage, le plus grand plaisir est d'être conduit *ailleurs,* sans pourtant s'égarer, d'amener « sous le regard de l'esprit » ce que nous ne pouvons pas voir. Le passage d'une catégorie à l'autre nous est « expliqué » par une autre comparaison : ainsi le vêtement, inventé pour protéger du froid, devient une parure du corps.

---

1. Aristote, *Poétique*, éd. Belles lettres, p. 61.

2. Cicéron, *De l'Orateur*, Livre III, éd. Belles lettres, p. 61.

3. Exemple : Dans le langage ecclésiastique, dire de quelqu'un qu'il est en « odeur de sainteté », c'est faire appel à une sensation physique, olfactive, pour nommer un état spirituel.

2. Commentaire critique de la définition

Cette description, qui résume assez bien l'opinion des Anciens, mérite d'être connue : car, sans qu'on le dise, et parfois sans qu'on le sache, elle oriente encore les questions portant sur les métaphores.

Elle est singulièrement restrictive : la métaphore est classée parmi « les figures qui concernent *les mots pris isolément* », et porte plus particulièrement sur les noms dont la fonction exclusive serait de désigner les objets, réduisant la parole à l'acte de *nommer*. Cette conception ramène à une idée mythique de l'origine du langage : pour chaque chose un nom qui lui soit « propre », auquel serait donc attachée une seule signification, la métaphore étant née de la pénurie des mots par rapport au nombre des objets à désigner.

Or la « métaphore » ne peut jamais concerner un mot « pris isolément », pour la raison simple que le mot isolé n'est qu'une fiction du dictionnaire, lequel est, avec la grammaire, l'une des deux abstractions pédagogiques au travers desquelles nous avons appris notre langue à l'école, sous deux aspects si nettement délimités que le lien de l'un à l'autre nous reste obscur. Et cette séparation abstraite nous est devenue si fondamentale que nous avons bien du mal à penser autrement. Au lieu de « métaphores », parlons donc plutôt de rapports métaphoriques, qui n'apparaissent qu'en contexte, inséparablement des rapports syntaxiques.

3. Variétés syntaxiques

— Nom + adjectif-épithète : une note *sombre*, un homme *froid...*

— Nom + complément déterminatif relié par de ou à : « Des lichens *de* soleil et des morves *d'*azur » (Rimbaud).

— Apposition de nom à nom : « L'*Hydre Univers* tordant son corps écaillé d'astres » (Victor Hugo) ou « *Cheveux* bleus, *pavillon* de ténèbres tendues » (Baudelaire).

— Énoncé reliant deux termes par la copule « être » : « Ma rive *est* de silence/mes mains *sont* de feuillage/ma mémoire *est* d'oubli » (Jean Tardieu). « Enchantement du jour à sa naissance... Le vin nouveau n'est pas plus vrai, le lin nouveau, n'est pas plus frais... (Saint-John Perse).

— Rapports sujet-verbe-complément : « Le soir *se libère du* marteau, l'homme reste enchaîné à son cœur. » « La poésie est *pourrie d'*épileurs *de* chenilles, *de* rétameurs d'échos, *de* minaudiers fourbus, *de* visages qui trafiquent du sacré, *d'*acteurs *de* fétides métaphores. » (René Char).

4. Commentaire

A) Dans le premier exemple, l'expression peut avoir deux sens, selon le contexte : ou bien on parle de musique (de « note »), et c'est l'adjectif qui est métaphorique, appliqué ici au domaine des sons et non à celui des couleurs ; ou bien on parle de peinture (comme on dit « une gamme de couleurs »), et c'est le nom qui est « transposé ». « Un homme froid » peut s'appliquer à un cadavre, ou au caractère de quelqu'un (transfert du physique au moral). Mais quel que soit le contexte, les deux sens sont présents à la fois : *l'effet métaphorique repose sur l'ambiguïté*, et la relation syntaxique est fondamentale : elle est la condition de la relation métaphorique, et c'est la nature du rapport de l'adjectif au substantif qui est affectée par la tension du rapport sémantique.

B) Dans l'exemple de Jean Tardieu (ce tercet fait partie d'un texte, dont tous les vers groupés en strophes sont du même modèle, et qui a pour titre « étude en *de* mineur », suggérant par cette référence à la musique que le *motif* de base est la préposition *de,* comme la *note* dominante), l'opération métaphorique n'est pas limitée à un rapport sémantique entre deux noms mis en présence par le rapport grammatical sujet/complément : « ma rive » (où l'association du possessif *ma* avec le nom *rive* confère déjà à ce dernier une valeur métaphorique) et « silence ». C'est le sens que nous propose l'énoncé, pris comme un tout indécomposable en ses parties qui devient problématique. En effet, le sens lexical du verbe lui-même annonce en principe l'indication d'un lieu (être *de* Rouen) ou d'une matière d'origine (un mur *de* pierre). Or le terme « silence » sert dans la langue à caractériser l'absence ou la négation d'indice de matérialité.

C) Il semble nécessaire de réfuter la tendance courante à réduire la métaphore à un mécanisme de substitution, « un mot pour un autre ». S'il en était ainsi, suffirait-il donc au lecteur, pour en être quitte avec la question du sens, de trouver le mot de l'énigme, c'est-à-dire l'équivalent au *propre* du terme substitué ? Solution rassurante, malheureusement (ou heureusement !) impossible. Quel autre énoncé, en effet, proposer comme « traduction » de « ma rive est de silence » ? Et si nous le décomposons en ses parties, quels mots supposer sous chacun de ses termes pris un à un ? Le propre de l'énoncé poétique métaphorique est d'être unique, irremplaçable, irréductible à toute paraphrase synonymique... (ex. : « cela veut dire... »). Il n'a de valeur que dans le contexte de paradigmes où il apparaît ; et sa valeur « poétique » tient au fait qu'il laisse le *sens* en suspens. Si l'on admet, du moins, que donner le *sens*, comme fait le dictionnaire, c'est pour un mot proposer un équivalent, soit un *autre* mot, soit une proposition développée en d'*autres* termes (sa « définition »). Il est vain de prétendre ramener l'expression métaphorique à une expression qui serait plus adéquate à l'image de la « réalité » : « l'énigme du discours métaphorique c'est, semble-t-il, qu'il *invente* au double sens du mot : ce qu'il crée, il le découvre ; et ce qu'il trouve, il l'invente ».[1]

5. Exemple 3

La manière dont on traite le vers d'Eluard « La terre est bleue comme une orange », devenu précisément fameux à force d'être cité en exemple, est significative. L'auteur de la préface de l'édition[2] tient à rappeler, à son propos, que, du haut de son vaisseau spatial, le

---

1. Paul Ricœur, *La métaphore vive*, Le Seuil, 1975.

2. Paul Eluard, *Capitale de la douleur*, NRF, 1966, Le poème datant de 1929.

cosmonaute Gagarine aurait vu la terre effectivement *bleue*! « Du haut de son observatoire passionnel, sa (celle du poète) vision est parfois en singulière avance sur le temps banal. » Cette affirmation fantastique tirerait-elle donc sa valeur de cette vérification objective a posteriori, et d'une capacité d'anticipation prophétique de la part du poète ? Mais, pour être conséquent, il faudrait alors qu'on nous explique aussi que les oranges sont bleues ! Si, par contre, au lieu d'isoler le vers, comme un exemple dans une grammaire, on le lit en son lieu, en tant que premier énoncé d'un texte, on s'aperçoit, dès le second vers, qui semble en faire déjà le commentaire : « Jamais une erreur, les mots ne mentent pas », que l'affirmation « La terre est... » n'est pas présentée ici comme une assertion de vérité qui demande à être confrontée, un jour ou l'autre, avec les qualités *réelles* de l'objet, pour que sa validité soit mise à l'épreuve. C'est une hypothèse de recherche portant sur les mots ; la recherche d'un langage réellement « infaillible » pour *prouver* l'amour, « c'est-à-dire l'impossible ». (*L'amour la poésie*).

> *« Quel est le trait qui dit « je t'aime » sans qu'on puisse en douter ? Les mots gagnent. On ne voit ce qu'on veut que les yeux fermés, tout est exprimable à haute voix.[1] »*

- **Métaphore filée.**

C'est parce qu'elle n'a pas, comme la comparaison, de modalité syntaxique particulière, que l'opération métaphorique peut se prolonger bien au-delà des limites du mot ou de l'énoncé, et soutenir, par exemple le sens d'une phrase entière ou d'un texte en s'enchevêtrant avec tous les mots successifs de son élaboration :

> *« ... ç'avait déjà été un grand plaisir quand, au-dessous de la petite ligne du violon, mince, résistante, dense et directrice, il avait vu tout d'un coup chercher à s'élever en un clapotement liquide, la masse de la partie de piano, multiforme, indivise, plane et entrechoquée comme la mauve agitation des flots que charme et bémolise le clair de lune. »*

(Marcel Proust, *Du côté de chez Swann*).

La syntaxe de la phrase a pour point d'appui l'opposition entre « ligne » et « masse », termes tous deux métaphoriques, empruntés à des terminologies qui s'appliquent à des domaines réservés aux sciences abstraites (géométrie, physique) — pour apprécier des mesures *quantitatives* relatives à l'espace ou à la pesanteur des corps — et qui sont ici transposés pour différencier des *qualités* sonores (instruments à cordes ou à percussions). Cette double métaphore répond sans doute à une nécessité : la description des sons et des impressions sonores se heurte en général à une déficience du vocabulaire et oblige à des emprunts. Mais les deux séries d'épithètes associées respectivement à chacun des deux termes

---

1. « Physique de la poésie » dans *Donner à voir*, 1939.

prolongent et accentuent une sorte d'autonomie des descriptions respectives de la « ligne » et de la « masse », comme si on les décrivait pour elles-mêmes, par les qualités qui les définissent *en propre*. Et, dans la seconde, vient s'enchevêtrer à la syntaxe des compléments (manière, comparaison, proposition relative) une métaphore nouvelle qui représente un corps sensible pour matérialiser la notion abstraite de « masse » (matière, mouvements, couleur). Le développement aboutit à l'évocation d'un paysage, où le dernier terme « bémolise » rappelle qu'il est question de sons et de musique.

La métaphore poétique peut ainsi s'étendre, par greffes et transformations successives, au-delà de la phrase, à l'échelle d'un texte entier.

3. L'IMAGE POÉTIQUE

Si le terme « image » n'est qu'un équivalent commode englobant indistinctement la comparaison et la métaphore (Littré : « Presque tout est *image* dans Homère. »), il ne justifie pas de rubrique particulière. Mais son emploi pose, à notre avis, des problèmes spécifiques qui appellent des remarques supplémentaires.

1. Définitions.

A) Cet usage a des effets négatifs. D'abord, parce qu'il abolit la distinction entre comparaison et métaphore et appauvrit inévitablement l'analyse. Il risque (qu'on le veuille ou non) de perpétuer une vieille idée, selon laquelle la poésie aurait pour fonction de « *peindre* plus ou moins vivement les idées et les pensées, de les *habiller* de *couleurs* grâce au langage *figuré* »[1].

Langage « colorié » ou « figuré » ou « imagé »... ! on ne voit pas toujours à quelles confusions peuvent mener ces « métaphores » douteuses qu'on continue à utiliser par habitude. Si des procédures linguistiques dont la valeur est par ailleurs reconnue, en épistomologie, sont réduites à des ornements du discours, la poésie n'est donc qu'un art « décoratif », et son modèle est l'art figuratif : « mettre son langage en *tableaux*, en faire une *peinture* animée et parlante » (*id.*). D'autre part, ces formules dépendent d'une définition de la parole qu'on trouve, par exemple, dans l'Encyclopédie (1757 à l'article : « Grammaire ») : « la parole est une sorte de *tableau* dont la pensée est l'original ; elle doit en être une fidèle *imitation*, autant que cette fidélité peut se trouver dans la *représentation* sensible d'une chose purement spirituelle ».

---

1. P. Fontanier, *Les figures du discours,* 1830.

B) Au début du XXe siècle apparaît une définition nouvelle de l'*image* :

> « *L'*image *est une création pure de l'esprit. Elle ne peut naître d'une comparaison mais du rapprochement de deux réalités plus ou moins éloignées. Plus les rapports des deux réalités rapprochées seront lointaines et justes, plus l'image sera forte, plus elle aura de puissance émotive et de réalité poétique.* »

(Pierre Reverdy, Nord-Sud, 1918).

Plus question donc de comparaison ou de métaphore : « Ne pas confondre poésie et routine, poésie et gâtisme, ne pas confondre image et comparaison.[1] »

Pour André Breton :

> *C'est du rapprochement en quelque sorte* fortuit *des deux termes qu'a jailli une lumière particulière,* lumière *de l'image..., les deux termes de l'image ne sont pas* déduits *l'un de l'autre par l'esprit* en vue de *l'étincelle à produire, ils sont les produits simultanés de l'activité que j'appelle surréaliste, la raison se bornant à constater, et à apprécier le phénomène lumineux.[2]* »

La rectification de Breton souligne la qualité hasardeuse, non préméditée de l'image surréaliste.

> *Ma mémoire bat les cartes*
> *Mes images pensent pour moi*

P. Éluard, Défense de savoir, 1928.

Il en résulte que l'*image* n'est pas traduisible en *idée* (ou comme dit Breton, en « langage pratique »), car aucune idée ne l'a précédée, dont elle serait la traduction : « l'homme qui tient la plume ignore ce qu'il va écrire, ce qu'il écrit, de ce qu'il le découvre en se relisant, et se sent étranger à ce qui a pris par sa main une vie dont il n'a pas le secret... Le sens se forme en dehors de vous. Les mots groupés finissent par signifier quelque chose »[3].

Cette « théorisation » de l'image, qui a l'ambition de reconnaître la part d'une activité inconsciente dans l'écriture, dans la production du texte, prend pour modèle la description que fait Freud de l'élaboration des images du rêve : « *transformer en images* concrètes, de préférence visuelles, les *idées* latentes conçues verbalement »[4].

L'écriture automatique serait une sorte d'exercice qui par un mouvement inverse et symétrique « tend à abolir toute distinction entre le rêve, le texte automatique, et le poème »[5].

---

1. Aragon, *Traité du style*, 1928.
2. André Breton, *Manifeste surréaliste*, 1929.
3. Aragon, *Traité du style*, 1929, p. 190.
4. Freud, *Introduction à la psychanalyse*, Payot, 1921.
5. André Breton, *Entretiens*, Gallimard, 1952, p. 106.

Du point de vue pédagogique qui est le nôtre, cette reconnaissance de la part du « hasard » (au niveau conscient) dans l'écriture peut être salutaire : les habitudes scolaires qui orientent obstinément le commentaire de texte vers la recherche de ce que « l'auteur *a voulu* dire », de ce que « cache l'expression » insistent trop exclusivement sur le côté *prémédité*. Rien n'est plus urgent que de débarrasser le « style » du commentaire de ces phrases dont il se nourrit parfois exclusivement et qui ont pour pivot des verbes comme « traduire » (un sentiment), « rendre » (une idée), « dégager » (l'impression), etc.

Mais parler d' « images », c'est encore s'installer, plus que jamais, dans cette confusion des domaines contre laquelle nous avons mis en garde en commençant ce livre ; c'est oblitérer le texte en tant que tel, et diluer la notion même de « poème », en passant directement *au travers du* langage aux « évocations », aux « impressions », aux « images », aux « sentiments ».

Certaines formules tendent à proposer, au moins comme horizon, l'annulation ou la neutralisation des liaisons syntaxiques, pour laisser le champ libre à la « provocation sans contrôle de l'image pour elle-même », (Aragon, *id.*) de même que, dans le rêve, remarque Freud, « lorsqu'il s'agit de représenter des parties du discours qui expriment des relations entre des idées : parce que, pour la raison que, etc., ces éléments du texte ne pourront pas être transformés en images »[1]. Ainsi, pour André Breton (citant Raymond Roussel : « Je choisissais un mot puis le reliais à un autre par la préposition *à* ») : la préposition *à* « apparaît bien, poétiquement, comme le véhicule de beaucoup le plus rapide et le plus sûr de l'image »[2]. Ce qui tend à réduire le discours poétique à la juxtaposition de substantifs (« relier ainsi n'importe quel substantif à n'importe quel autre »)[3]. Mais d'autres formules mettent au contraire l'accent sur les aspects syntaxiques de l'image. « L'image n'est pas seulement, comme on le croyait il y a dix ans, un objet visuel décrit au moyen d'un animal burlesque, etc., mais aussi la négation, la disjonction, le général à la place du particulier, et bien d'autres formes d'appréhensions de l'idée *purement syntaxiques*, à inventer, chaque fois...[4] » Par exemple : « l'image qui consiste à remplacer une préposition par une conjonction sans rien changer de son régime... prendre l'intransitif pour le transitif et réciproquement, conjuguer avec être ce dont avoir est l'auxiliaire... » (*id.*, p. 29).

2. Le mot/l'image

Il y a des mots qui réveillent dans la mémoire des *images* : à leur être sonore s'associent des représentations imaginatives qui condensent en eux, et pour chacun de nous, un *sens*, en quelque sorte sensible. Mettre un mot en perspective poétique, c'est renouveler notre sensibilité à son égard

---

1. Freud, *Le rêve et son interprétation*, 1925.
2. *L'Amour fou*, NRF Gallimard, 1937, p. 90.
3. « Les adjectifs viennent ajouter à ce rapprochement un sentiment qui rétrécit toujours l'image et nuit à sa netteté. » (*Nord-Sud*, 1918, Flammarion 1975, p. 119).
4. *Traité du style*, p. 108.

(comme dit Mallarmé : « le tremper de vie »), et ainsi accroître ce pouvoir qu'il a de *sensibiliser*, à travers lui, notre rapport au monde.

Exemples :

Soit le verset de Saint-John Perse (cité plus haut) :

« enchantement du jour à sa naissance... Le *vin* nouveau n'est pas plus *vrai*, le *lin* nouveau n'est pas plus *frais*. »

Les mots *vin* et *lin* portent en eux-mêmes un réseau d'images limité, associé aux objets d'usage (et à certains gestes) qu'ils désignent dans la langue. Mais la syntaxe (l'apposition explicative), qui lie les deux propositions (dont les mots sont les « sujets »), à l'affirmation initiale, présente ainsi « *le vin* » et « *le lin* » comme des signes concrets ou des *symboles* de cet « enchantement du jour... » (cf. l'article de généralité « le »). Les deux noms sont unis par parenté vocalique, par l'identité de leur place et de leur fonction dans deux propositions identiques ; ceci vaut aussi pour les deux adjectifs *vrai* et *frais*, qui font rime, et dont l'adjonction comme attributs à de tels noms renouvelle le sens et rend problématique celui qu'on leur connaît. Ainsi le *rajeunissement physique* du mot (par allitérations) va de pair avec son *rajeunissement sémantique* dans un contexte inédit.

Le mot, mis en situation, prend par rapport à son usage public, une relative autonomie ; dans une certaine mesure (sans que soit altéré son *sens*) il se détache de ce qu'il nomme[1] en s'associant à d'autres *images ;* il est redéfini. Le mot « vin » n'est plus, au sens strict, tout à fait le même que celui que j'utilise à table pour dire « passe-moi du vin » !

Cette question est d'importance, et elle tient lieu pour certains de principe poétique : pour Francis Ponge : « il faut se secouer de la suie des paroles... Il n'y a point d'autre raison d'écrire »[2]. Pour Guillevic :

il faut   (il s'agit des mots) :

Les laisser parler, mais,
Sans qu'ils se méfient,
Leur faire dire plus qu'ils ne veulent,
Qu'ils ne savent,

De façon à recueillir le plus possible
De sève en eux,
De ce que l'usage du temps
A glissé en eux de concret.
                                                    (*Inclus*, 1973).

Pour Eluard : « avec les mots, nous sommes comme l'aveugle de Diderot, les sensations tactiles qu'ils font resurgir dans le souvenir — font voir ». (Cf. Diderot « il *sentait* sous ses doigts le *visage grêlé des rochers* ». *Lettre sur les aveugles à l'usage de ceux qui voient*, 1749.)

---

1. Cf. Aragon, « Ici le nom se détache de ce qu'il nomme », *Le roman inachevé*, NRF, 1956 (Les mots m'ont pris par la main).
2. *Des raisons d'écrire*, 1930.

Ainsi le mot lui-même exerce un pouvoir d'éveil, ouvre un accès immédiat (du sensible au sensible) à un champ d'images avec lequel se confond sa « redéfinition » :

Le mot fenêtre un mur le bouche

Table verrou de l'appétit

Epi scolopendre inutile

La griffe est un doigt juste sur un clavier faux

La liane se grave en cicatrice ignoble

Le miel encrasse amèrement la ruche morte

(« Ailleurs, ici, partout » Poésie ininterrompue, II, 1946).

Ici la « poésie » consiste à prendre comme objet et matière de travail (à transformer) l'*acte lui-même de définir* un mot, dont le dictionnaire nous offre le modèle élaboré, et qui a été dès notre enfance l'un des actes essentiels de notre apprentissage pratique du langage : celui où nous avons appris (irréversiblement) à passer par le mot pour accéder au monde sensible. Au modèle des énoncés (un mot + une apposition explicative), nous reconnaissons ici l'intention de reproduire un lexique. Mais ce lexique tourne le dos au principe du lexicologue pour qui la « définition » (son objet étant d'ordre strictement « pragmatique et pédagogique ») n'est, en effet, qu'une « brève description d'un concept traditionnel et culturel qui ne s'applique que partiellement à l'objet auquel ce concept prétend renvoyer »[1]. La redéfinition du mot, non astreinte au compromis qu'exige la généralisation (qui vise à circonscrire une valeur d'usage, attestée et autorisée par les exemples) compense l'appauvrissement de sens, inévitable à toute abstraction, que lui fait subir le dictionnaire ; elle rétablit un contact sensible et vivant du sujet à son langage, et du langage à la réalité. « L'image, dit le poète mexicain Ottavio Paz, est le pont que tend le désir entre l'homme et la réalité.[2] » On peut l'assimiler du point de vue de sa fonction au procédé du « collage » dans la peinture, dont le peintre Max Ernst affirme qu'il est :

> « *un instrument hypersensible et rigoureusement juste, semblable au sismographe, capable d'enregistrer la quantité exacte des possibilités de bonheur humain à toute époque. La quantité d'humour noir contenue dans chaque collage authentique s'y trouve dans la proportion inverse des possibilités de bonheur (objectif ou subjectif) ».*

(Au-delà de la peinture, cité par Paul Eluard, Donner à voir).

Ce qui se trouve ainsi « prouvé », c'est que le nom n'apporte de soi aucune vérité de sens, comme pourrait le laisser croire une attitude naïve à l'égard de la fonction du dictionnaire : il est un « instrument » sensible

---

1. A. Rey, *Le lexique, images et modèles*, A. Colin, 1977.
2. *L'arc et la lyre*, Gallimard, 1956.

aux oscillations de l'espoir et du désespoir qui déterminent « pour le rêveur éveillé - pour le poète - l'action de son imagination. Qu'il formule cet espoir ou ce désespoir et ses rapports avec le monde changeront immédiatement » (*Donner à voir*, Paul Eluard). Ces « définitions » par associations verbales — par ce qu'on appelle des « images » — sont en effet sujettes à être rectifiées si le mouvement du sismographe penche dans le sens de l'espoir et de l'utopie :

> Notre fenêtre s'écarquille
> Jusqu'à refléter l'avenir
>
> La table règle la moisson
> Comme nos lèvres le plaisir
>
> La griffe agrafe l'or fragile
> Du clair mirage de sa proie
>
> La liane enlace la foule
> L'épi fertilise la foudre
>
> Le miel crispe un faisceau d'aiguilles
> Qui cousent la douceur de vivre
>
> etc.

(« Ailleurs, ici, partout ».)

S'il faut retenir un enseignement de cet ensemble de questions, il nous semble qu'il y a à souligner ceci : toute conception « illustrative » ou trop directement « expressive » de la comparaison, de la métaphore, ou de l'image « poétique » étant au préalable récusée, l'invention du poète se fraie un chemin en élargissant au-delà des limites connues les voies possibles du langage. Ce qui est mis en jeu, c'est une certaine conception du « sens des mots », de leur sens commun : l'écrivain, dit Francis Ponge, travaille sur le « lieu commun ». D'ailleurs le lexicologue lui-même nous avertit que sa méthode reste « dominée par les relations de désignation, de nomination, et de conceptualisation » (Alain Rey) ; et le philosophe Paul Ricœur que : « la croyance que les mots possèdent une signification qui leur serait propre est un reste de sorcellerie, le résidu de la théorie magique des noms »[1]. Il semble que la vocation de poète naisse du sentiment de l'insuffisance, de la pauvreté, de l'anachronisme de nos idées concernant le langage ; de la conscience qu'à propos des choses les plus simples *tout reste à dire* (Fr. Ponge), autrement dit que le langage est toujours à réinventer.

---

1. P. Ricœur, *La métaphore vive*, p. 101.

BIBLIOGRAPHIE IV

I. Ponctuation/syntaxe/phrase

L. Aragon. — *Entretien avec Fr. Crémieux*, NRF Gallimard, 1964 (p. 145-156).

R. Balibar. — *Les français fictifs* (« Le rapport des styles littéraires au français national »), Hachette, 1974 (p. 87-117).

M. Butor. — *Répertoire III*, éd. de Minuit, 1968. « Sur la suppression de la ponctuation dans *Alcools* d'Apollinaire » (p. 278 et sq). Interview à l'hebdomadaire, *France-Nouvelle* (2-5-1978) : « Sur la phrase. »

J. Kristeva. — *La révolution du langage poétique*, Le Seuil, 1974. « Syntaxe et composition » (p. 269... et sq ; p. 284... et sq).

Langages. — N° 3 : 1966, Le verbe et la phrase, Larousse. N° 37 : 1975, Analyse du discours, Larousse.

Langue française. — N° 1 : 1969, La syntaxe, Larousse. N° 45 : 1980, La ponctuation, Larousse.

Le français aujourd'hui. — N° 30 : 1975 (supplément) : La notion de phrase (M. Ballot).

Leroi-Gourhan. — *Le geste et la parole*, Albin Michel, 1964-1965 (t. I « L'écriture et la linéarisation des symboles » (p. 275), « Le resserrement de la pensée » (p. 291) ; t. II « Le langage et les formes » (p. 206).

Mallarmé. — *Œuvres*, Pléiade, NRF Gallimard (entre autres : Préface à un « Coup de dés... », Crise de vers, Variations sur un sujet, etc.).

J. Massin. — *La lettre et l'image* (« La figuration de l'alphabet latin du VIIIe siècle à nos jours »), NRF Gallimard, 1970.

G. Mounin. — *Clefs pour la linguistique* (« La syntaxe et la phrase », p. 88-89)., éd. Seghers, 1968.

M. Pêcheux, Françoise Gadet. — *La langue introuvable*, Maspéro, 1981.

P. Reverdy. — *Nord-Sud, Self défence et autres écrits sur l'art et la poésie* (1917-1926), éd. Flammarion, 1975.

J. Tardieu. — « Frontispice et triptyque du mortel été » (quatre phrases découpées), dans *Formeries*, NRF Gallimard, 1976.

T. Tzara. — « Essai sur la situation de la poésie » (*Le surréalisme au service de la révolution*), éd. J.-M. Place, 1976 (n° 4, 1931).

P. Valéry. — *Variété II*. Lettre sur Mallarmé. Visite à Mallarmé, NRF Gallimard, 1929.

II. Comparaison - métaphore - image poétique

L. Althusser. — *Lire le Capital*, Maspéro, 1965 (p. 25-31 ; p. 46-49). *Philosophie et philosophie spontanée des savants*, Maspéro, 1967.

L. Aragon. — *Le paysan de Paris*, NRF Gallimard, 1926 (p. 78-82, etc.). *Traité du style*, NRF Gallimard, 1928 (p. 108... sq ; p. 150, etc.). *Le roman inachevé*, NRF Gallimard, 1956 (« Les mots m'ont pris par la main », p. 78-82, etc.). *Les poètes*, NRF Gallimard, 1960 (p. 193, etc.).

Aristote. — *Poétique, Rhétorique*, Les Belles Lettres.

G. Bachelard. — *La formation de l'esprit scientifique*, J. Vrin, 1967.

J. du Bellay. — *La defence et illustration de la langue française* (1555-1557), éd. Marcel Didier, 1961.

Ch. Baudelaire. — *Les paradis artificiels*, 1860.

H. E. Brekle. — *Sémantique*, Armand Colin, 1974.

A. Breton. — *Manifestes du surréalisme* (1924-1930), coll. Idées, NRF Gallimard, *L'Amour fou*, NRF Gallimard, 1937.

R. Caillois. — *Approches de la poésie*, NRF Gallimard, 1978. *Poétique de Saint-John Perse*, NRF Gallimard, 1972.

Lewis Carrol. — *De l'autre côté du miroir* (1871), éd. Aubier-Flammarion, 1971.

C. Cicéron. — *De l'orateur*, les Belles Lettres (L. III).

C. B. Clément. — *Le pouvoir des mots*, Maison Mame, 1973.

Jean Cohen. — *Structure du langage poétique*, Flammarion, 1966. « Poésie et redondance ». *Poétique*, n° 26, 1976.

M. Deguy. — *Actes* (essai), NRF Gallimard, 1966. *Ouï-dire* (poèmes), NRF Gallimard, 1966.

R. Desnos. — « Comme » (poème) dans *Domaine public*, NRF Gallimard.

D. Diderot. — *Lettre sur les aveugles à l'usage de ceux qui voient*, 1749.

G. Durand. — *Structures anthropologiques de l'imaginaire*, P.U.F., 1963.

A. Darmesteter. — *La vie des mots étudiée dans leurs significations* (1887), réédité par « Champ libre », 1979.

P. Eluard. — *Donner à voir*, NRF Gallimard, 1939. *Poésie ininterrompue II;* NRF Gallimard, 1953.

P. Fontanier. — *Les figures du discours* (1830), Flammarion, 1968.

M. Foucault. — *Les mots et les choses*, NRF Gallimard, 1966.

S. Freud. — *Le rêve et son interprétation*, Idées/NRF Gallimard, 1925. *Introduction à la psychanalyse*, Payot, 1921. *Le mot d'esprit dans ses rapports avec l'inconscient*, NRF Gallimard, 1905.

G. Genette. — *Figures II*, « Langage poétique, poétique du langage », Seuil, 1969.

Guillevic. — *Inclus* (poème), NRF Gallimard, 1977.

P. Guiraud. — *Essais de stylistique*, 2ᵉ partie : Les champs stylistiques (p. 83 et sq...), Klincksieck, 1969.

G. Haag, J. Kristeva, O. Mannoni, E. Ortigues, M. Schneider. *Travail de la métaphore. Identification et Interprétation*. Éd. Denoël, 1984.

K. Hedwig.— *Étude sur la métaphore*, J. Vrin, 1958.

A. Henry. — *Métonymie et métaphore*, Klincksieck, 1971.

Homère. — *Iliade, Odyssée*.

V. Hugo. — *William Shakespeare* (Promuntarium somnii), 1863.

Éd. Jabès. — *Le livre des ressemblances*, NRF Gallimard, 1976. *Du désert au livre*, Pierre Belfond, 1980.

R. Jakobson. — *Essais de linguistique générale*, « Deux aspects du langage et deux types d'aphasie : les pôles métaphorique et métonymique » (p. 61), éd. de Minuit, 1963. Dans *Problèmes du langage*, « A la recherche de l'essence du langage », NRF Gallimard, 1966.

P. J. Jouve. — *En miroir*, Mercure de France, 1954.

J. Lacan. — *Écrits I*, le Seuil, 1966.

Langages. — N° 54 « La métaphore », Larousse, 1979.

Langue française. — N° 30 « Lexique et grammaire » : « réflexion sur la référence » J.-Cl. Milner, Larousse, 1976.

Lautréamont. — *Les chants de Maldoror*, 1869, éd. Pléiade. *Poésies*, 1970.

M. Le Guern. — *Sémantique de la métaphore et de la métonymie*, Larousse, 1973.

O. Mannoni. — *Clefs pour l'imaginaire ou l'Autre scène*. Éd du Seuil, 1969.

Ch. Mauron. — *Des métaphores obsédantes au mythe personnel*, J. Corti, 1963. *Le dernier Baudelaire*, J. Corti, 1966.

H. Meschonnic. — *Pour la poétique*, « L'organisation métaphorique » (p. 100-138), NRF Gallimard, 1970. *Le signe et le poème*, « La théorie du nom contre le langage » (p. 54-82), NRF Gallimard, 1975. *Écrire Hugo*, « La métaphore-apposition, syntaxe et poétique du nom » (p. 256), NRF Gallimard, 1977.

H. Michaux. — *Émergences - Résurgences*, Skira, 1972.

H. Mitterand. — *Les mots français*, P.U.F., 1963.

H. Morier. — *Dictionnaire de poétique et de rhétorique*, P.U.F., 1981.

G. de Nerval. — *Aurélia*, 1855.

Cl. Normand. — *Métaphore et concept*, éd. Complexe, 1976.

J. Paulhan. — *Clef de la poésie*, NRF Gallimard, 1944.

O. Paz. — *L'arc et la lyre*, « L'image » (p. 126-148), NRF Gallimard, 1965.

Ch. Perelman. — *L'empire rhétorique*, chap. 10, « Analogie et métaphore », J. Vrin, 1977.

Platon. — *Cratyle*, Les Belles Lettres.

M. Pleynet. — *Comme* (poésie), Seuil, 1965.

F. Ponge. — *Méthodes*, coll. Idées, NRF Gallimard, 1961. *La fabrique du Pré*, Skira, 1971. *Entretiens avec Philippe Sollers*, Gallimard-Seuil, 1970.

M. Proust. — *Le temps retrouvé*, 1927.

P. Reverdy. — *Nord-Sud*, n° 13, 1918, Flammarion, 1975.

A. Rey. — *Le lexique : images et modèles*, Armand Colin, 1977.

J. Ricardou. — *Problèmes du nouveau roman*, « La métaphore aujourd'hui » (p. 125-157), Seuil, 1967.

P. Ricœur. — *La métaphore vive*, Seuil, 1975.

M. Riffaterre. —*Sémiotique de la poésie*, P.U.F., 1983.

A. Rimbaud. — *Une saison en enfer*, 1873. *Les Illuminations*, 1873.

P. de Ronsard. — *Œuvres* (Hymne de l'automne, Hymne de l'hiver, Réponse aux injures et calomnies..., Préface à la Franciade).

E. Roudineseo. — *L'inconscient et ses lettres*, Maison Mame, 1973.

R. Roussel. — *Comment j'ai écrit certains de mes livres,* 1933.

G. Steiner. — *Tolstoï ou Dostoïevsky*, « La comparaison chez Homère », p. 90, Seuil, 1963.

La révolution surréaliste, 1924-1929, éd. J. M. Place, 1975.

Le surréalisme au service de la révolution, 1930-1933. Éd. J.M. Place, 1976.

J. Tardieu. — *Comme si* (poème). « Le fleuve caché, Une voix sans personne », 1951-1953. *Obscurité du jour*, Skira, 1971.

T. Todorov. — *Littérature et signification*, Larousse, 1976. Dans : *Langages*, n° 1, 1966, « Les anomalies sémantiques ». *Poétique*, n° 28, 1976, « Théories de la poésie ». *Poétique*, Seuil, 1968. *Sémantique de la poésie*, Seuil, 1979.

H. Wallon. — *Les origines de la pensée chez l'enfant*, P.U.F., 1947, t. II : 1re partie, chap. 2 : La comparaison.

CHAPITRE IV

ÉTUDE DE TEXTE

Belle et ressemblante[1]

Un visage à la fin du jour
Un berceau dans les feuilles mortes du jour
Un bouquet de pluie nue
Tout soleil caché
Toute source des sources au fond de l'eau
Tout miroir des miroirs brisé
Un visage dans les balances du silence
Un caillou parmi d'autres cailloux
Pour les frondes des dernières lueurs du jour
Un visage semblable à tous les visages oubliés

(Paul Eluard, *La vie immédiate*, 1932).

1. Syntaxe générale

Elle est caractérisée par :

1. L'absence de verbe (sauf des « participes passés », dont la fonction proprement « verbale » est indécise) ;

2. L'absence de tout indicateur logique, précisant un rapport quelconque (de succession, de cause à effet, etc.), entre les énoncés. Simple énumération/juxtaposition de séquences alignées les unes sous les autres.

---

1. A propos de ce poème, Francis Poulenc a composé une musique, enregistrée sur disque aux éd. Erato.

Parlant de la « phrase nominale », le linguiste E. Benveniste[1] distingue deux fonctions du verbe : sa fonction « cohésive » (organiser en structure les éléments), et sa fonction « assertive » (« ajouter à la relation grammaticale un "cela est" implicite qui relie l'agencement linguistique au système de la réalité. Le contenu de l'énoncé est *donné comme conforme à l'ordre des choses* »). Il affirme que la phrase nominale en indo-européen constitue, elle aussi, un *énoncé assertif fini*, pareil dans sa structure à n'importe quel autre. Cependant la différence porterait sur deux points, d'autant plus importants pour nous qu'ils concernent notre texte tout entier :

1. « l'assertion aura ce caractère propre d'être *intemporelle, impersonnelle, non modale,* bref de porter sur un *terme réduit à son seul contenu sémantique* ;

2. « cette assertion ne peut participer à la propriété essentielle d'une assertion verbale qui est de mettre le temps de l'événement en rapport avec le temps du discours sur l'événement » (*id.*).

L'absence de verbe implique donc l'absence de toute détermination temporelle, et des pronoms « personnels » (je/tu) qui d'habitude fournissent au lecteur les repères nécessaires pour qu'il puisse lui-même se placer dans une situation d'interlocution. Quand au *temps* linguistique, Benveniste précise ailleurs qu'il est organiquement lié à l'exercice de la parole, se définit et s'ordonne comme fonction du discours, dont il est *le centre générateur et axial* (de la subjectivité dans le langage).

Le lecteur est donc mis dans une position telle (par rapport au texte) que rien ne lui permet de s'identifier à une aventure « personnelle ». Éluard répète, après Lautréamont : « La poésie personnelle a fait son temps de jongleries relatives et de contorsions contingentes. Reprenons le fil indestructible de la poésie impersonnelle. » Déclaration dont il reconnaît par ailleurs le caractère utopique : « Hélas ! non, la poésie personnelle n'a pas *encore* fait son temps. Mais au moins, nous avons bien compris que rien encore n'a pu rompre le mince fil de la poésie impersonnelle.[2] »

Si le texte ne nous fournit aucune indication explicite sur le *sens* du discours, les séquences successives sont groupées selon un ordre strict en fonction de l'alternance UN/TOUT :

3 vers commençant par : Un
3 vers commençant par : Tout
3 vers commençant par : Un

Cette régularité dans la répartition équivaut à une division en strophes de trois unités : le dernier groupe en comprend quatre, la séquence médiane se prolongeant exceptionnellement sur deux vers, pour préparer l'avènement du final.

---

1. E. Benveniste, *Problèmes de linguistique générale I,* p. 151, « La phrase nominale ».
2. Eluard, *Les routes et les sentiers de la poésie,* 1949.

Le principe du groupement est donc parfaitement clair : l'alternance joue sur deux termes, chaque terme est répété trois fois, l'ensemble constitue trois groupes.

Mais ce qui distingue ce principe de groupement, qui est un facteur de régularité rythmique du discours comme dans les strophes classiques, c'est qu'il n'est pas ici extérieur au sens, mais qu'il le fonde sur ce retour alterné de « un » et de « tout », au cours de laquelle se modifie la perspective sous laquelle est envisagé l'objet : affirmation de son caractère unique d'une part, et, d'autre part, résorption de cette singularité dans l'ensemble des individus identiques.

Lisible verticalement, dans la succession/juxtaposition des séquences, à l'initiale des vers (position qui porte un accent d'insistance), cette syntaxe (l'unité/la totalité) sous des formes modifiées forme la base de la plupart des énoncés, sur l'axe horizontal :

un... dans *les (vers 2 et 7)*
Toute... des (vers 5 et 6)
Un... parmi d'*autres (vers 8)*

et surtout du vers final : *un* (visage)... *tous les* (visages).

Et le poème est ainsi inscrit dans une sorte d'angle rectangle :

> *Un*
> *Tout*
> *Un...* tous les...

Le passage de « *tout* » singulier à « *tous les* » résume le progrès du discours, comme une réponse proposée à l'alternative *un/tout* : on passe de l'expression *distributive* de la totalité à l'expression *globale* de la totalité (*Grammaire* de Wagner et Pinchon, Hachette, p. 116). Autrement dit, si je dis « tout » (au singulier), « tout soleil », je transfère sur l'unité les caractères communs de l'ensemble, je les répartis sur chacun, et je persiste à affirmer l'individualité. Mais si je dis « tous les », je désigne globalement l'ensemble où se confondent les individus.

L'élaboration du poème semble avoir pour base une sorte d'épure syntaxique.

2. Titre

Placé comme une enseigne au seuil d'une boutique, isolé, en lettres majuscules, c'est par lui que nous commençons la lecture. On se doute d'ailleurs qu'il a été mis là *après*, qu'il est le fruit d'un regard rétrospectif sur le texte achevé, et que dans ce commencement est inscrit le mot de la fin. On le sait de source sûre des titres apposés par le peintre surréaliste Magritte au bas de ces tableaux : mais le visiteur du musée se précipite d'abord sur ce titre, qui peut-être n'éclairera guère son exploration de l'œuvre, mais ne va pas cesser de hanter sa pensée, parce qu'il est tenté d'y rapporter toutes les découvertes qu'il fait ensuite, dans l'exploration du tableau.

Dans le dernier numéro de « La Révolution Surréaliste » (15-12-1929), Eluard et Breton disent : « ... Le rôle créateur, réel du langage est rendu le plus évident par la non-nécessité totale *a priori* du « sujet »... Le « sujet » d'un poème lui est aussi propre et lui importe aussi peu qu'à un homme son « nom »[1].

Le titre de notre texte est fait de deux adjectifs coordonnés : ce qui déjà fait problème, en l'absence d'un nom auquel les rapporter. Ils sont au féminin. Cette absence de support nominal fait que la référence (interne à la forme même de l'adjectif, dans sa désinence) est ici le « genre » féminin, la féminité, le fait d'être femme, résumé à deux qualités qui s'additionnent et se confondent.

Prosodiquement la séquence se présente ainsi :

$$\overset{2}{b\epsilon}l\text{-}\breve{l}e\text{-}r\breve{\text{ɔ}}\text{-}s\tilde{\breve{\text{ɑ}}}\text{-}bl\tilde{\overset{2}{\text{ɑ}}}t$$
$$1\quad 1\quad 2\quad 3\quad 4$$

Le couple consonantique /b-l/ qui forme l'encadrement de la première unité syllabique (voyelle ouverte, longue) sert de point d'appui à la dernière qui est par position la plus accentuée, la plus longue, et d'autant plus qu'elle est portée par trois syllabes préparatoires, dont la troisième est de même timbre nasalisé et déjà sensiblement allongée. *Quand deux nasales se suivent la seconde en effet est d'autant plus longue et son timbre plus sensible.*

La séquence est ainsi parfaitement équilibrée sur elle-même par cet écho consonantique qui relie la fin au commencement et associe les deux termes par une sorte de synonymie sensible dans l'accord sonore.

Mais la liaison syntaxique des deux termes par coordination pose un problème de logique : si le premier résume un ensemble de *qualités*, le second est un verbe adjectivé qui désigne le résultat d'une opération mentale : la comparaison, laquelle établit une *relation*. Le verbe « ressembler », comme l'adjectif « semblable », ne peut s'employer en principe sans le « complément grammatical » qui précise quel est le terme de comparaison (ressembler à..., semblable à...). La « ressemblance » serait-elle ici, en tant que telle, comme la « beauté », une *qualité intrinsèque* à l'objet, c'est-à-dire à la féminité, à la femme ?

Le titre laisse donc une question en suspens. Si, par anticipation, nous regardons du côté de la fin du texte, nous y trouvons un énoncé qui a pour pivot l'adjectif « semblable », mais cette fois dûment nanti du complément attendu, et assurant la relation entre « UN visage » et « TOUS les visages ». Et nous y retrouvons le thème consonantique /bl/ trois fois répété : semBLaBLe...ouBLiés.

3. Problèmes de contexte

Il est tentant, et fréquent, de considérer un poème comme un texte clos, se suffisant à lui-même. Sa présentation matérielle (un poème par

---

1. « Notes sur la poésie », *La révolution surréaliste*, n° 12, 1929.

page), sa cohésion logique intrinsèque, concourent à son isolement. Cependant des exemples connus prouvent qu'un livre de poèmes peut avoir une construction cohérente, être donc envisagé comme un seul poème, même si les textes qui le composent ont été élaborés en ordre dispersé, et réunis seulement après pour former un livre selon un ordre (et *donc* un « sens »), qui n'est apparu au poète lui-même qu'a posteriori, au terme d'un regard rétrospectif porté sur un ensemble (cf. *Les contemplations, Les fleurs du mal, Le roman inachevé...*). Le livre portant *date* se signale ainsi à titre de témoignage sur un état momentané d'une réflexion où se trouvent imbriqués la biographie et l'histoire, l'individuel et le social. Tout texte, à la limite, est de circonstance. Bien entendu, le réseau des rapports qui relient ce texte à d'autres (inter-textualité), même en se limitant à ce seul recueil, est si complexe que nous devons nous limiter à quelques indications. Sans quoi il faudrait singulièrement élargir le champ des investigations.

Le texte qui nous occupe est le premier du livre *La vie immédiate* (excepté un quatrain d'introduction qui le précède). D'après les documents[1], il n'occupait pas cette place dans un projet antérieur, et l'on comprend la raison de ce déplacement en se reportant au dernier poème qui a pour titre « Une pour toutes ». Ainsi la fin du livre et son commencement se font écho, et cette correspondance marquée signale au lecteur la persistance d'un fil conducteur et le principe de la composition. Le poème final éclaire rétrospectivement le sens de la lecture antérieure, et en particulier celui du poème initial. Chaque groupement de vers y a pour point d'appui la répétition insistante de la même alternative, ou question, « Une ou plusieurs ». Dans un recueil postérieur, deux poèmes successifs se répondent comme en miroir : « Une pour toutes » et « Toutes pour une »[1].

La dialectique du UN et du TOUT (une/toutes) est donc la *forme* (syntaxique) qui permet de tenir ensemble les deux termes d'une contradiction, d'une tension inhérente au problème de l'amour (« toute idée de possession lui étant forcément étrangère »), entre la nature même du désir et la nécessité du couple (« toutes les femmes aucune femme ») :

A bout de souffle elle m'accorda la vérité

...

Que l'amour est semblable à la faim à la soif
Mais qu'il n'est jamais rassasié
Il a beau prendre corps il sort de la maison
Il sort du paysage
L'horizon fait son lit

...

(« La Rose publique », 1934).

---

1. Éditions la Pléiade.
2. *Cours Naturel*, 1938.

Entre les deux points-limites, la « ressemblance » tient lieu constamment de terme médiateur :

Femme tu mets au monde un corps toujours pareil
Le tien
Tu es la ressemblance

(« Les Yeux fertiles », 1936).

Ou encore :

Elle me dit...
...
Mène-moi par la main
Vers d'autres femmes que moi
Vers des naissances plus banales
Au vif de la ressemblance
A la certitude d'être

(« Toutes pour une »).

Et dans *La Vie immédiate* :

« *Dans les rues, dans les campagnes, cent femmes sont dispersées par toi, tu déchires la ressemblance qui les lie, cent femmes sont réunies par toi et tu ne peux leur donner de nouveaux traits communs et elles ont cent visages qui tiennent ta beauté en échec.* »

Le centre de cette réflexion amoureuse est le principe de la fidélité :

« *Et la vie pourtant s'en prenait à notre amour. La vie sans cesse à la recherche d'un nouvel amour, pour effacer l'amour ancien, l'amour dangereux, la vie voulait changer d'amour.*
Principes de fidélité... Car les principes ne dépendent pas toujours de règles sèchement inscrites sur le bois blanc des ancêtres, mais de charmes bien vivants, de regards, d'attitudes, de paroles et des signes de la jeunesse, de la pureté, de la passion. Rien de tout cela ne s'efface. »

(*id.* « Nuits partagées »).

Chaque poème n'est qu'un fragment d'une « poésie ininterrompue » où se poursuit un discours qui déborde largement les limites de chaque poème particulier.

4. Analyse discursive

A. Groupe I

Les trois énoncés qui le composent ont en commun de poser comme thème un *nom* (visage/berceau/bouquet) déterminé par le même article (numéral, indéfini). Ils sont tous trois dissyllabiques, d'où le même départ rythmique pour les trois vers : ($\smile \smile^2$) ; parallélisme renforcé du vers 2 au vers 3, du fait que « *b*erceau » et « *b*ouquet » ont la même consonne d'attaque.

Associés par simple énumération, aucune indication linguistique ne permet de figurer ces « éléments » dans un espace, comme dans une description. L'ensemble à trois termes réduit l'univers à trois signes symboliques ; leurs rapports réciproques sont ainsi purement sémantiques. Ramener la fonction du langage à l'acte fondamental de « nommer » (cf. « Les hommes ont dévoré un dictionnaire et ce qu'ils nomment existe » *Les routes et les sentiers de la poésie*, 1946), c'est une préoccupation que le poète partage avec son ami peintre Picasso auquel il rend justement hommage en ces termes dans un poème : « Picasso ici je te nomme... » « Ce qu'il faut, dit Picasso, c'est NOMMER les choses. Il faut les appeler par leur nom. Je NOMME l'œil. Je NOMME la tête de mon chien sur les genoux. Je NOMME les genoux... NOMMER c'est tout. Ça suffit... Rappelez-vous le poème d'Éluard « Liberté » :

> *Je suis né pour te connaître*
> *Pour te nommer*
> *Liberté.*
>
> (P. 29).

Il l'a nommée. C'est ce qu'il faut faire. » (dans *Picasso dit...* par Hélène Parmelin, éd. Gonthier, 1966).

Il dit encore (refusant de « faire un nu comme un nu », de « peindre un nu de la tête aux pieds ») : « ce que je cherche en ce moment, c'est le *mot* qui *dise* « nu » sur une toile, d'un seul coup, sans histoires ». Quant à Eluard, il déclare : « Quel est le trait qui dit je t'aime sans qu'on puisse en douter.[1] »

La syntaxe nominale est donc, dans l'écriture, la réalisation d'un partis pris : le refus de la description (cf. *Manifeste surréaliste*, 1929), le refus de réduire l'art à une fonction représentative ou illustrative. Mais ce peut être aussi, pour Eluard ; la syntaxe fondamentale du discours amoureux :

> « Je *citerai* pour commencer les éléments
> *Ta voix tes yeux tes mains tes lèvres*
> (« Ordre et désordre de l'amour » dans « *Le dur désir de durer* », 1946).

Quoi qu'il en soit, l'acte fondamental de dire reste cette *affirmation de l'UN*, de l'unique, qui sert trois fois de point de départ rythmique, et de principe unificateur des trois séquences.

> « *La ressemblance niant l'universel, on ne fait pas le portrait de l'homme. C'est* un *homme qui parle pour l'homme, c'est* une *pierre qui parle pour les pierres, c'est* un *arbre qui parle pour toutes les forêts, pour l'écho sans visage, seul à subsister, seul, en fin de compte, à avoir été exprimé. Un écho généralisé, une vie composé de chaque instant, de chaque objet, de chaque vie, la vie. (« Physique de la poésie ».)*

Les trois séquences successives sont syntaxiquement parallèles : (un) nom + préposition + complément de nom.

Chaque fois est mis en rapport un terme substantif — et les trois pris ensemble résument les signes du couple heureux : le visage comme

---

1. P. Eluard, « Physique de la poésie », dans *Donner à voir*, NRF, 1939.

métonymie de la femme aimée, le berceau de la naissance, le bouquet de l'hommage amoureux — faisant fonction de « sujet » grammatical, avec son terme « complément » qui fait référence à la réalité naturelle (*fin* du jour, *feuilles* mortes, pluie). Cette syntaxe du *complément de nom* forme le sens et le rythme :

— elle pose un rapport de dépendance entre l'univers intime et le cosmique, et à chaque modalité particulière de ce rapport (temps, espace, matière) se répète le même sentiment d'une menace (effacement, mort, dilution) ;

— la préposition occupe la même position (la quatrième), elle porte un accent initial d'insistance. L'articulation principale est donc chaque fois à la même place : après la troisième syllabe longue/accentuée, marquant la limite du groupe nominal ; aux vers 2 et 3, elle est renforcée par le redoublement de la dentale d'appui (*d*ans, *d*e), lequel fait écho à celui de /f/ (*f*in, *f*euilles) aux vers 1 et 2 ;

— à partir du vers 2, les relations de mot à mot deviennent toutes réciproquement métaphoriques : « les feuilles mortes de » prenant la place de « la fin de », la nature des rapports entre « jour », « feuilles mortes », et « berceau », marqués par les prépositions « de » et « dans », devient indécise, de même qu'au vers 3 le rapport du nom à son adjectif épithète et celui du nom à son complément. Les catégories logiques se brouillent, leurs frontières s'effacent, comme dans les rêves. « On ne se trompe plus d'objet, puisque tout s'accorde, se lie, se fait valoir, se remplace. Deux objets ne se séparent que pour mieux se retrouver dans leur éloignement, en passant par l'échelle de toutes les choses, de tous les êtres... » (« *Physique de la poésie* »).

B. Du groupe I au groupe II

Le groupe I a mis en place un modèle dont on retrouve le cadre au groupe II :

NOM-SUJET	COMPLÉMENT
Tout soleil	caché
Toute source (...)	au fond de l'eau
Tout miroir (...)	brisé

Même régularité rythmique du groupe nominal, appuyée sur la répétition de « tout », et réalisée sur une base ternaire ($\smile$ $\smile$ $\stackrel{\prime}{}$) puisque les mots sont dissyllabiques (au vers 4 le compte n'est qu'approximatif, selon que l'on prononce ou non le /ə/ final instable de « sour*c*e » placé à l'articulation du vers). Au bout des vers 4 et 6 : « caché » est associé à « soleil », comme « brisé » à « miroir » : deux dissyllabes en même position, accentués sur la même finale /e/, de même catégorie grammaticale (rime phonétique et grammaticale). Au vers central de ce « tercet », le complément « au *fond* de l'eau » fait écho au premier vers du poème « à la *fin* du jour » ; ce vers intermédiaire est le plus long par rapport à ceux qui l'encadrent, comme son homologue du groupe I (v. 2), et particulièrement par rapport à celui qui le précède.

La progression du discours se faisant par simple énumération ou juxtaposition verticale, en l'absence de toute logique explicite, le passage du groupe I au groupe II prend *sens* dans la substitution, comme « *sujets* » d'énoncés, des trois termes « soleil/source/miroir » à « visage/berceau/bouquet ». Les deux premiers (associés pour l'oreille par le /s/ initial) nous parlent de la nature. En un sens, le soleil est lui-même une source (de lumière). Les deux termes désignent pour l'observateur qui cherche à se situer, les deux pôles inverses de l'univers cosmique (le haut, le bas), et représentent symboliquement la lumière et l'eau. La mémoire du lecteur, dont l'activité est ici d'autant plus sollicitée qu'elle est privée de ses repères habituels, peut les associer deux à deux aux termes qui forment le couple initial : soleil à visage comme source à berceau. Dans cet ensemble, le troisième membre de la série peut paraître relativement à part. Cependant une très antique tradition associe la source au miroir (image première du miroir, dans le mythe de Narcisse). D'autre part, le terme peut être pris comme signe résumant les deux premiers : le monde extérieur est bien le miroir de l'homme puisqu'il y trouve les coordonnées nécessaires à sa propre identification :

« *Je devins esclave de la faculté pure de voir, esclave de mes yeux irréels et vierges, ignorants du monde et d'eux-mêmes. Puissance tranquille. Je supprimai le visible et l'invisible je me perdis dans un miroir sans tain...* (« *Les Dessous d'une vie* », *1926 dans* Donner à voir).

« *Les peintres ont été victimes de leurs moyens. La plupart d'entre eux s'est misérablement bornée à reproduire le monde. Quand ils faisaient leur portrait, c'était en se regardant dans un miroir, sans songer qu'ils étaient eux-mêmes un miroir. Mais ils en enlevaient le tain, comme ils enlevaient le tain de ce miroir qu'est le monde extérieur, en le considérant comme extérieur. En copiant une pomme ils en affaiblissaient terriblement la réalité sensible.* » (*Dans* Donner à voir : « *Je parle de ce qui est bien...* » à propos de Picasso.)[1]

---

1. Le mot « miroir » est fréquent dans la poésie d'Eluard. Il nous est impossible, mais ce serait un travail utile, d'en comparer les contextes. Citons deux exemples :

L'ombre m'empêche de marcher
Sur ma couronne d'univers
Dans le grand *miroir habitable*
Miroir brisé mouvant inverse
Où l'habitude et la surprise
Créent l'ennui à tour de rôle
(*Défense de savoir*, 1929)

Et l'inépuisable silence
Qui bouleverse la nature en ne la nommant pas
Qui tend des pièges souriants
Ou des absences à faire peur
Brise tous les *miroirs des lèvres*.
(« *Comme une image* » dans *L'amour la poésie*, 1929)

La fonction du miroir est analysée par le Dr Jacques Lacan dans « Le stade du miroir comme formation de la fonction du "Je" » (*Écrits*, Seuil, 1949) : « La fonction du stade du miroir (chez l'enfant) s'avère pour nous comme un cas particulier de la fonction de l'image qui est d'*établir une relation de l'organisme à sa réalité...* » Ce stade du miroir est un « drame »... « où se machinent les fantasmes qui se succèdent d'une image morcelée du corps à une forme que nous appellerons orthopédique de sa totalité... Ce corps morcelé (...) se montre régulièrement dans les rêves... », etc.

Le passage de I à II, marqué par le renversement UN/TOUT, et par ce principe de cohérence qui regroupe entre eux les trois termes substitués, occupant les mêmes fonctions et formant des éléments rythmiques parallèles, implique une logique d'argumentation : le premier tient lieu de « prémisses » (ou « antécédent ») par rapport au second qui en est *ipso facto* le « conséquent ». Que l'UN associé aux signes sensibles sur lesquels se condense l'idée de l'amour dans le couple, soit menacé de disparaître, et c'est « TOUT » ce dont l'homme a besoin pour y former l'identité de sa propre image qui disparaît en même temps (caché, au fond de l'eau, brisé).

C'est le sens, au vers 4 (le premier du groupe II), de cette juxtaposition du substantif à un participe « passé » — seule forme verbale du poème (caché, brisé, oublié) —, et de la formation prosodique caractérisée : par un renversement tendanciel (d'ascendant à descendant) de la courbe d'intonation, à la jointure des deux mots : ‿ ‿ ″ , ‿ ², un renversement simultané d'un mouvement qui tend d'abord à l'ouverture des voyelles (de /u/ à /o/ et à /ej/) puis à la fermeture (de /a/ à /e/), enfin le blocage rythmique produit par rétrécissement (on passe d'un groupe de 3 à un groupe de 2). Tous ces aspects de l'énoncé, comme du vers, concourent au même sens.

Aux vers 5 et 6 (les vers 2 et 3 du tercet), la reprise du même mot au pluriel (toute source/des sources, tout miroir/des miroirs) prolongeant l'ouverture sur le modèle ternaire initial, accentue l'effet de chute de la fin de vers, en particulier pour le dernier.

C. Le groupe III

Il n'est pas à l'égard du groupe II dans le même rapport que celui-ci à l'égard du groupe I : la plupart de ses éléments sont des reprises du groupe I. Le poème est un produit fini, un système clos.

1) reprise triplée de UN,
2) reprise deux fois, au début des deux vers d'encadrement, du même mot « visage »,
3) parallélisme syntaxique entre : « un visage dans les »…, et « un berceau dans les… »
4) parenté sensible entre « dernières lueurs du jour » et « feuilles mortes du jour ».

Quant au dernier vers, nous avons déjà noté, en commentant le titre, qu'il constitue la réponse. Son énoncé, essentiellement tautologique (c'est-à-dire qu'au sujet « visage » répond comme complément le même mot « visages »), consiste à projeter sur l'axe horizontal (syntaxique) l'alternance UN/TOUT qui se lit verticalement (axe « paradigmatique »), au début de chaque vers, par simple substitution, sans support syntaxique, laissant la question du sens en suspens.

L'énumération de ces reprises n'épuise pas la matière de la fin du poème. Y apparaissent des « images » nouvelles (= associations et alliances de mots insolites). Eluard proclame « l'attraction souveraine qu'exercent sur moi les images inexplicables, les rapports absolument nouveaux que la poésie dite surréaliste nous fait entrevoir. Voici les images fulgurantes qui m'inquiètent et me rassurent, qui me font admettre qu'il n'y a rien d'incompréhensible et que rien n'est perdu pour l'esprit ». (L'évidence poétique dans *Le poète et son ombre*, Seghers). Il s'agit de « rendre à la raison humaine sa fonction de turbulence et d'agressivité ».

Sur l'axe vertical, « caillou » est substitué à « visage » : il ne représente, dans la syntaxe où il est pris (Un... parmi d'autres...) que la fusion de l'individu dans la ressemblance généralisée, l'objet envisagé exclusivement du point de vue du nombre, au plus haut degré d'abstraction, dépouillé de ses qualités sensibles. Aux fins de vers, se répondent : « silence », « dernières lueurs du jour », « oubliés », comme ils répondent par affinité de sens aux fins des vers précédents (*rimes* par voisinage de sens)[1].

Sur la ligne horizontale (syntaxique), la syntaxe du complément de nom unit « balances » (concret) et « silence » (abstrait). L'association a peut-être comme support une expression courante : on dit « un silence *pesant* » (cf. aussi dans Verlaine : « Je suis un berceau qu'une main *balance*/Silence. *Silence*. ») Elle s'appuie concrètement sur une *rime* (paronomase à une syllabe près). La balance est l'instrument de mesure de la « gravité » (au sens *physique* du terme) ; mesure de l'indice de « réalité » de l'objet ; signe d'un équilibre hésitant entre la pesanteur et l'apesanteur. L'adjonction du terme « silence », par la préposition « de » (laquelle annonce d'habitude une précision sur la matérialité de l'objet), fait pencher la balance dans le sens de l'irréalité, la perte de tout indice matériel d'existence.

La dernière « image » du poème pose pour terme de relation entre « caillou » et « frondes » la préposition « pour », signe explicite d'une destination, et d'une intention agressive, en ce contexte. Mais cette évocation assez précise d'un instrument, d'un geste d'enfant, s'évanouit dans l'association qui la prolonge : le sens que « frondes » a pris comme complément (destination) de « caillou » se perd en chemin lorsqu'on lui associe comme complément de nom (de statut incertain) « des dernières lueurs du jour ». S'agit-il de l'autre sens : « les *frondes* des fougères » ? (cf. Littré et Robert : terme désignant les *feuilles* des fougères). Cette suggestion est latente, en raison du rapprochement qui s'impose avec au vers 2 : « les feuilles mortes du jour »[2].

---

1. Cette syntaxe apparaît ailleurs dans *La Vie immédiate* :
Un soir *tous les* soirs et *ce* soir comme les autres

(Yves Tanguy).

2. Un exemple pour montrer qu'un terme ne prend sens qu'en contexte :
Place à l'appareil banal du désespoir
A ses *miroirs* de plomb
A ses bains de *cailloux*
A ses statues croupissantes

(La Rose publique, 1934).

Les « images poétiques » n'ont pas une fonction descriptive (= soumettre aux yeux de la mémoire la représentation d'objets absents existant en dehors de nous) : à tout instant, cette « représentation » aussitôt évoquée s'égare dans un dédale de rapports mouvants, les frontières de sens assignées aux mots par leur définition tendent à s'effacer, et les certitudes que nous croyons tenir concernant le langage, puisque c'est le nôtre, sont constamment mises à l'épreuve[1].

• Conclusion

Un commentaire de texte ne peut prétendre être exhaustif. A son principe même, l'isolement du texte y fait obstacle, et nous avons sans cesse été confrontés avec la nécessité d'en déborder les limites. A l'intérieur même de ces limites, le réseau des rapports, aux différents niveaux (prosodique, syntaxique, rythmique, sémantique, discursif), est si serré que le travail d'analyse est inépuisable. Dans sa forme définitivement fixée, le poème est livré aux rêves de chacun des lecteurs. Mais cette possibilité de communication, théoriquement infinie, a pour fondement, indiscutable, sa singularité. L'étude de *son* langage particulier est la condition indispensable de toute lecture.

Le poème étudié occupe une place privilégiée dans un livre *La Vie immédiate*. Il y succède à un quatrain initial, qui pose une question :

> *Que deviens-tu pourquoi ces cheveux blancs et roses*
> *Pourquoi ces yeux déchirés déchirants*
> *Le grand malentendu des noces de radium*
> *La solitude me poursuit de sa rancune.*

A cette place, puisque le livre entier est situé sous le signe de cette question, il peut légitimement être considéré comme une première réponse. C'est peut-être là que sa syntaxe particulière (la *phrase* nominale) prend une valeur : ni affirmation, ni négation, ni interrogation. (Qui parle ? à qui ? dans quelles circonstances de temps et d'espace ?). Elle ne se laisse enfermer dans aucune catégorie préméditée. Si « réponse » il y a, elle reste flottante ; « je » étant explicitement absent, invisible, du discours qu'il tient.

---

1. La réflexion *sur* les images est constante chez Eluard, jusque dans ses poèmes :
Rien ne résiste à mes images désolées (Yves Tanguy)
Les images passées à leur manière sont fidèles
Elles imaginent la fièvre et le délire
Tout un dédale où ma main compliquée s'égare

(Le bâillon sur la table).

A la suite des images
La masse de la lumière roule vers d'autres rêves

(L'univers-solitude).

CONCLUSION

Les poètes anciens se plaçaient sous le signe des Muses — filles du Roi des dieux et de Mémoire —, messagers-interprètes de paroles venues d'un ailleurs diffus : le « divin ». Ainsi commençait Homère : « C'est l'Homme aux mille tours, Muse, qu'il faut me dire. »

Cette théâtralisation est devenue inactuelle, et le « personnage » du poète aspire à se faire oublier :

> Écrire. Parler par l'écriture
> Pour tout l'autre.
>
> Et qu'on m'entende
> Sans savoir que c'est moi
> Qui parle.
>
> Sans savoir même
> Que quelqu'un parle.
>
> M'entendre
> Comme on entend les pierres.

(Guillevic, Inclus, 1973, NRF, p. 219).

Fini donc ce mythe du Poète inspiré — du Poète-Prophète (Hugo), du Poète-Prince des nuées (Baudelaire), du Poète-Orphée (Nerval) —, qui faisait de l'histoire de la littérature une « belle histoire », exaltante ou douloureuse (poètes couronnés/poètes maudits), et dont les poètes étaient parfois les premiers à s'affubler, s'introduisant eux-mêmes d'avance dans leur propre légende : on n'est jamais si bien servi que par soi-même.

Il faut bien constater pourtant que les livres scolaires et la critique (préfaces, articles de journaux ou de revues...) se conjuguent souvent pour prolonger la survie du mythe. Les commentaires « autorisés » — c'est-à-dire ceux que l'élève se croit à juste titre autorisé à mimer — sont encore encombrés de phrases de célébration, de formules de consécration que l'on répète pour éviter de penser aux problèmes avant même de les avoir examinés. L'hommage, en effet, prend inévitablement la forme d'une paraphrase, d'un mime pathétique, par lequel on prétend entrer en « *communion avec* » le langage du poème, c'est-à-dire avec ses « sentiments ».

Pour illustrer l'évolution de la notion de « poème », il ne nous semble pas inutile de mentionner, pour ce qu'il a de révélateur, un usage récent, et déjà largement diffusé, y compris dans certaines pratiques scolaires, des termes « poèmes/poésie », que n'ont pu encore consigner les dictionnaires.

Un psychiatre, ayant la charge d'adolescent, non pas « a-culturés », mais « anticulturels » (selon ses propres termes), est interrogé par une revue destinée aux enseignants (*Le Français aujourd'hui* nº 61, mars 1983), sur la place de la « lecture » dans ses tâches éducatives. « Leur proposer, dit-il, de lire ce que nous considérons comme de "bons" livres (sont cités Hugo et Ronsard) provoquerait immédiatement une réaction de rejet » (« refus de la littérature "officialisée" »). « Par contre, la plupart des garçons arrive à écrire des poèmes »... « Certains enfants qui éprouvent des difficultés à s'exprimer verbalement dans un cadre scolaire, font preuve d'une vie fantasmatique très riche au cours de rêves éveillés, pendant des séances de psychothérapie ou des activités de club de poésie. » Faire faire des poèmes, c'est développer une « vie imaginaire »... « avant qu'ils ne soient pris dans un réseau de drogue, la résistance à celle-ci augmente et le risque de toximanie diminue... »

Ce qui nous concerne ici (à l'exclusion du problème de la valeur thérapeutique de l'écriture qui n'est pas de notre compétence), c'est la qualification de « poétique » appliquée à des textes, qui n'ont de sens que pour ceux qui les écrivent (et pour les éducateurs qui les provoquent), qui ne revendiquent aucune approbation extérieure, puisqu'ils sont nés d'un refus de la poésie « reconnue » — tout en ayant pour finalité la réinsertion sociale : surmonter une situation de refus de la parole, franchir une sorte de « mur ».

Cette extension récente de sens d'un terme qui fut, au contraire, pendant si longtemps, un titre officiel, décerné par les académies, les Cours, passé par le filtre de la reconnaissance de la « société » littéraire (revues, journaux littéraires, maisons d'édition), n'est pas arbitraire ni abusive : elle retient quelque chose de ce qui fait la particularité du texte « poétique ». Proposer à un écolier de faire un « poème », c'est le mettre en présence d'une feuille blanche, confronté aux difficultés d'en occuper en écrivant l'espace vide, sans le cadre préalable d'un « sujet » à traiter, ou d'un modèle à imiter (narration, description, scène).

Entre l'élève et le « poète », ce qui fait la distinction, c'est pour le second une expérience de l'écriture, patiemment acquise et poursuivie, dans l'élaboration d'une « œuvre » livrée dans le cours du temps en fragments successifs, — une exploration *pour son propre compte* des possibilités du langage, dont la base de départ a été une connaissance de la poésie du passé dont il prend le relais.

Cependant, ce n'est pas par hasard que l'exercice psychopédagogique précité est nommé « poème » par le psychiatre, qui sait fort bien de quoi il parle. Cette qualification s'autorise aussi bien de l'usage ancien que de l'évolution contemporaine.

Définir la « poésie » comme « art de faire des vers » (« rimer un conte » disait Chrétien de Troyes), c'était la définir *indépendamment du sujet à traiter et du discours tenu*. Et « faire des vers », c'est se livrer à une expérience où jouent un rôle ordonnateur et mobilisateur (en quelque sorte préalables au dire) la mesure, le rythme, les combinaisons prosodiques et phonologiques prises pour leur valeur propre. Le vers impose une lecture qui établit à l'égard de la langue un rapport *sensible*. En témoigne la confidence autobiographique de R. Jakobson, disant que la vocation de linguiste lui est venue de l'étude du vers, et de la conviction « qu'il fallait aborder les questions de versification *par le biais de la phonologie* ». (R. Jakobson, K. Pomorska, *Dialogues*, Flammarion, 1980, p. 43.)

Ainsi s'éclaire sa définition de la « fonction poétique » : « la visée du message en tant que tel. L'accent mis sur le message *pour son propre compte* est ce qui caractérise la fonction poétique du langage... Cette fonction qui met en évidence le côté palpable des signes approfondit par là même la dichotomie fondamentale des signes et des objets » (*Essais de linguistique générale*, p. 218).

Elle a l'avantage de ne pas réduire son application à la « poésie », à celle qui est officiellement admise sous ce titre, à un moment donné, dans la géographie de la société littéraire, c'est-à-dire celle des maisons d'édition. Elle prend acte, dans la communication, de la situation singulière du discours poétique, en particulier de la mise entre parenthèses des conditions qui fondent habituellement dans les échanges humains l'autorité d'un discours (cf. M. Foucault, *L'Ordre du discours*, NRF Gallimard, 1970, et P. Bourdieu, *Ce que parler veut dire*, Fayard, 1982).

Le poème se présente comme délié de tout contexte explicite (la question de savoir s'il faut ou non, et comment, le rétablir est laissée en suspens). La question du destinateur et du destinataire, et de leur rapport, est aussi indécise. Qui parle à qui ? Et de quoi ? Question qui n'appelle aucune réponse. Toute lecture « poétique » implique qu'au préalable soit admise cette situation *étrange*, de laquelle s'autorisent toutes les *étrangetés* du discours au regard des usages communs.

BIBLIOGRAPHIE GÉNÉRALE

(Nous regroupons ici des titres cités dans les bibliographies précédentes, à l'exclusion de ceux qui n'ont été mentionnés que pour des problèmes particuliers, en y ajoutant quelques autres qui n'y ont pas trouvé place.)

Action poétique. — N° 62 : Poésies en France, 1975. N° 84 : La poésie, le vers, 1981.

Aragon. — *Traité du style*, NRF Gallimard, 1928. *Entretiens avec Francis Crémieux*, NRF Gallimard, 1964. *Les Poètes*, NRF Gallimard, 1960.

Aristote. — *Poétique*, éd. Belles-Lettres. *Rhétorique*, éd. Belles-Lettres.

J.-L. Austin. — *Quand dire c'est faire* (How to do things with words), éd. du Seuil, 1970.

S. Auroux. — *L'Encyclopédie « grammaire » et « langue » au xviii*e *siècle*, éd. Maison Mame, 1973.

G. Bachelard. — *Lautréamont*, éd. José Corti, 1939. *La formation de l'esprit scientifique*, éd. J. Vrin, 1967. *L'Eau et les rêves. Essai sur l'imagination de la matière*, éd. José Corti, 1942 (et les autres ouvrages du même auteur : *La Terre et les rêveries de la volonté, La Terre et les rêveries du repos, La poétique de l'espace*, etc.).

R. Balibar. — *Les français fictifs* (rapport des styles littéraires au français national), éd. Hachette, 1974.

T. de Banville. — *Petit traité de poésie française* (1872), réédité éd. d'Aujoud'hui, 1978.

R. Barthes. — *Le Degré zéro de l'écriture*, éd. Gonthier, 1954. *Leçon*, éd. du Seuil, 1977.

Ch. Baudelaire. — *Les Paradis artificiels*, 1860.

J. du Bellay. — *La Defence et illustration de la langue française* (1555-1557), éd. Marcel Didier, 1961.

W. Benjamin. — *Poésie et Révolution*, éd. Denoël-Lettres nouvelles, 1971.

E. Benveniste. — *Problèmes de linguistique générale*, 2 vol., éd. NRF Gallimard, 1966-1974.

Y. Bonnefoy. — *Entretiens sur la poésie*, La Baconnière, Payot, 1981.

A. du Bouchet. — *Poètes d'Aujourd'hui*, éd. Seghers, 1979.

P. Boulez. — *Penser la musique aujourd'hui*, éd. Gonthier, 1963.

P. Bourdieu. — *Ce que parler veut dire*, éd. A. Fayard, 1982.

B. Brecht. — *Essais sur la littérature et l'art*, éd. L'Arche.

M. E. Brekle. — *Sémantique*, éd. Armand Colin, 1974.

A. Breton. — *Manifestes surréalistes* (1924-1930), NRF Gallimard. *L'Amour fou*, NRF Gallimard, 1937. *La clé des champs*, éd. Sagittaire, 1953. *Entretiens*, NRF Gallimard, 1952.

M. Butor. — *Entretiens*, NRF Gallimard, 1967. *Répertoires*, éd. de Minuit.

Cahiers de poétique comparée :
    1. Réflexion sur le fonctionnement du vers français. J.-Cl. Milner, 1973.
    2. Métrico-phono-syntaxe : Le vers français alexandrin-l'inversion, Mitson Ronat, 1975.

R. Caillois. — *Poétique de Saint-John Perse*, NRF Gallimard, 1972. *Approches de la poésie*, NRF Gallimard, 1978.

Change. — N° 3 : Le cercle de Prague, 1969, éd. Seghers-Laffont. N° 6 : La poétique, la mémoire, 1970. *Hypothèses*, 1972 : Trois entretiens et trois études sur la linguistique et la poétique : Jakobson, Halle, Chomsky.

Change de forme, 1975, La destruction de l'alexandrin (J. Roubaud). Sur une théorie générale du rythme (P. Lusson). Mètre et phonologie (J. Guéron).

R. Char. — *Recherche de la base et du sommet*, NRF Gallimard, 1955. *La Nuit talismanique*, éd. Skira, 1972.

J.-Cl. Chevalier. — « *Alcools* » *d'Apollinaire, essai d'analyse des formes poétiques*, éd. Lettres modernes-Ménard, 1970.

N. Chomsky. — *Structures syntaxiques*, 1957, éd. du Seuil, 1969. *Dialogues avec Mitson Ronat*, éd. Flammarion, 1977.

Cicéron. — *De l'orateur*, éd. les Belles-Lettres.

P. Claudel. — *Réflexions sur la poésie*, NRF Gallimard, 1963.

C. B. Clément. — *Le Pouvoir des mots*, éd. Maison Mame, 1973.

J. Cohen. — *Structures du langage poétique*, Flammarion, 1966.

B. de Cornulier. — *Théorie du vers (Rimbaud, Verlaine, Mallarmé)*, éd. du Seuil, 1982.

A. Darmesteter. — *La vie des mots étudiée dans leurs significations*, 1887, éd. Champ libre, 1979.

M. Deguy. — *Actes*, Essai, NRF Gallimard, 1966. *Reliefs*, éd. « l'Atelier », 1975.

D. Delas - J. Filiolet. — *Linguistique et poétique*, éd. Larousse, 1973.

D. Delas. — *Poésie pratique*, éd. CEDIC, 1977.

M. Delbouille. — *Poésie et sonorités*, éd. les Belles-Lettres, 1961.

R. Desnos. — *Domaine public*, NRF Gallimard, 1953.

D. Diderot. — *Lettre sur les aveugles à l'usage de ceux qui voient*, 1749, éd. Droz-Girard, 1951.

O. Ducrot. — *Dire et ne pas dire*, éd. Hermann, 1972. *Le Structuralisme en linguistique*, éd. du Seuil, 1968. *Les Mots du discours*, éd. de Minuit, 1980.

G. Durand. — *Structures anthropologiques de l'imaginaire*, éd. P.U.F., 1969.

Umberto Eco. — *L'Œuvre ouverte*, éd. du Seuil, 1965.

T. S. Eliot. — *De la poésie et de quelques poètes*, éd. le Seuil, 1964.

P. Eluard. — *Donner à voir*, éd. NRF Gallimard, 1939. *Les Sentiers et les Routes de la poésie*, éd. NRF Gallimard, 1954. *Poésie ininterrompue I et II*, éd. NRF Gallimard, 1946-1953.

P. Fontanier. — *Les Figures du discours*, 1830, éd. Flammarion, 1968.

M. Foucault. — *L'Archéologie du savoir*, éd. NRF Gallimard, 1969. *L'Ordre du discours*, éd. NRF Gallimard, 1971. *Ceci n'est pas une pipe*, éd. Fata Morgana, 1973 (deux lettres et trois dessins de René Magritte).

P. Francastel. — *Peinture et société*, NRF Gallimard, 1965. *Études de sociologie de l'art*, éd. Denoël-Gonthier, 1970.

S. Freud. — *Le Mot d'esprit dans ses rapports avec l'inconscient*, 1905, NRF Gallimard. *Introduction à la psychanalyse*, éd. Payot (1ʳᵉ éd. 1921). *Le Rêve et son interprétation*, 1925, éd. NRF Gallimard.

G. Genette. — *Figures II*, éd. du Seuil, 1969.

J.-M. Gleize. — *Poésie et figuration*. Éd. du Seuil, 1983.

Grammont. — *Le Vers français, ses moyens d'expression, son harmonie*, 1904, éd. Delagrave, 1967.

A. S. Greimas. — *Essais de sémiotique poétique* (ouvrage collectif), éd. Larousse, 1972.

Groupe μ. — *Rhétorique de la poésie*, éd. Complexe, 1977.

Guillevic. — *Inclus* (poème), NRF Gallimard, 1977. *Vivre en poésie* (entretiens), éd. Stock, 1980.

P. Guiraud. — *Langage et versification d'après l'œuvre de Paul Valéry*, éd. Klincksieck, 1953. *Essais de stylistique*, éd. Klincksieck, 1969. *La Versification*, P.U.F., 1970.

Cl. Hagège. — *La Grammaire générative, réflexions critiques*, P.U.F., 1976.

H. K. Hedwig. — *Études sur la métaphore*, éd. J. Vrin, 1958.

A. Henry. — *Métonymie et métaphore*, éd. Klincksieck, 1971.

Homère. — *Iliade, Odyssée*.

V. Hugo. — *William Shakespeare. Promuntarium somnü*, 1863.

E. Jabès. — *Le Livre des questions*, éd. NRF Gallimard, 1963. *Le Livre des ressemblances*, éd. NRF Gallimard, 1976. *Du désert au livre* (entretiens), éd. Belfond, 1980.
R. Jakobson. — *Questions de poétique*, éd. du Seuil, 1973. *Dialogues* (avec K. Pomorska), éd. Flammarion, 1980.
P. J. Jouve. — *En miroir*, éd. Mercure de France, 1954.
J. Kristeva. — *La Révolution du langage poétique*, éd. du Seuil, 1974.
C. Kerbrat-Grecchioni. — *L'Énonciation. De la subjectivité dans le langage*, éd. Armand Colin, 1980.
J. Lacan. — *Écrits I*, éd. du Seuil, 1966.
Langages, Langue française : cf. les numéros cités dans les bibliographies précédentes.
Lautréamont. — *Les Chants de Maldoror*, poésie (1870), éd. La Pléiade, 1970.
F. Léger. — *Fonctions de la peinture*, éd. Gonthier, 1969.
M. Le Guern. — *Sémantique de la métaphore et de la métonymie*, éd. Larousse.
P. Léon. — *Essais de phonostylistique*, Didier, 1971.
P. Léon et M. Léon. — *Introduction à la phonétique corrective*, éd. Hachette-Larousse, 1964.
A. Leroi-Gourhan. — *Le geste et la parole* (2 vol.), éd. Albin Michel, 1964-1965.
G. Lote. — *L'Alexandrin français d'après la phonétique expérimentale*, éd. La Phalange, 1913. *Histoire du vers français*, 3 vol., éd. Boinn-Hatier, 1949-1955.
I. Lotman. — *La Structure du texte artistique*, NRF Gallimard, 1973.
St. Mallarmé. — *Œuvres*, éd. Pléiade, 1945.
B. Malmberg. — *Phonétique française*, éd. Hermods Malmö (Suède), 1969.
O. Mannoni. — *Clefs pour l'imaginaire ou l'Autre Scène*, éd. du Seuil, 1969.
Ch. Mauron. — *Des métaphores obsédantes au mythe personnel*, éd. José Corti, 1963. *Le dernier Baudelaire*, éd. José Corti, 1966.
J. Mazaleyrat. — *Pour une étude rythmique du vers français moderne* (notes bibliographiques), éd. J. Minard - Lettres modernes, 1963. *Éléments de métrique française*, Armand Colin, 1974.
H. Meschonnic. — (outre la série des « *Poétiques* », NRF Gallimard) *Critique du rythme*, éd. Verdier, 1982.
J.-Cl. Milner. — *Arguments linguistiques*, Maison Mame, 1973. *L'Amour de la langue*, éd. du Seuil, 1978.
J. Molino - J. Tamine. — *Introduction à l'analyse linguistique de la poésie*, P.U.F., 1982.
H. Morier. — *Le Rythme du vers libre symboliste*, 3 vol., Genève. Presses académiques, 1943. *Dictionnaire de poétique et de rhétorique*, P.U.F., 1981.
G. Mounin. — *Poésie et société*, P.U.F., 1962. *La Communication poétique*, NRF Gallimard. 1969.
Cl. Normand. — *Métaphore et concept*, éd. Complexe, 1976.
M. Patillon. — *Précis d'analyse littéraire*, 2, Décrire la poésie, éd. F. Nathan, 1977.
Jean Paulhan. — *Clef de la poésie*, NRF Gallimard, 1944.
O. Paz. — *L'arc et la lyre*, éd. NRF Gallimard, 1965.
M. Pêcheux. — *Les Vérités de la Palice*, éd. Maspéro, 1975.
G. Pulman. — *L'Empire rhétorique*, éd. J. Vrin, 1977.
Platon. — *Cratyle*, éd. les Belles-Lettres.
Fr. Ponge. — *La rage de l'expression*, éd. Mermod, 1952. *Le savon*, éd. NRF Gallimard, 1967. *Entretiens avec Philippe Sollers*, éd. Gallimard/Seuil, 1970. *La Fabrique du pré*, éd. Skira, 1971. *Colloque de Cerisy*, Union générale d'éditions, 10-18-1977.
E. Pound. — *ABC de la lecture*, NRF Gallimard, 1966.
Problèmes du langage (Benveniste, Chomsky, Jakobson, Martinet, etc.), éd. NRF Gallimard, 1966.
La Révolution surréaliste, 1924-1929, éd. J.-M. Place, 1975.
Le Surréalisme au service de la Révolution, 1930-1933, éd. J.-M. Place, 1976.
Revue d'esthétique : Esthétique de la langue française, n° 34, CNRS, 1965.
A. Rey. — *Le Lexique, images et modèles*, éd. Armand colin, 1977.
P. Ricœur. — *La Métaphore vive*, éd. du Seuil, 1975.
M. Riffaterre. — *Essais de stylistique structurale*, Flammarion, 1971. *Sémiotique de la poésie*, P.U.F., 1983.
J. Romains et G. Chennevière. — *Petit traité de versification française*, éd. Gallimard, 1924.
J. Roubaud. — *La Vieillesse d'Alexandre*, éd. Maspéro, 1978.
E. Roudinesco. — *L'Inconscient et ses lettres*, éd. Maison Mame, 1973.

J.-J. Rousseau. — *Essai sur l'origine des langues*, éd. Le Graphe, 1967.

N. Ruwet. — *Langue, musique, poésie*, éd. du Seuil, 1972.

J.-R. Searle. — *Les Actes de langage*, essai de philosophie du langage, éd. Hermann, 1972. *Sens et expression*, éd. de Minuit, 1979.

La sociocritique. — (ouvrage collectif), éd. Fernand Nathan, 1979.

E. Souriau. — *La Correspondance des arts*, éd. Flammarion, 1969.

A. Spire. — *Plaisir poétique et plaisir musculaire*, éd. José Corti, 1949.

J. Tardieu. — *Obscurité du jour*, éd. Skira, 1971. *Formeries*, éd. NRF Gallimard, 1976.

Théorie de la littérature (textes des Formalistes russes présentés et traduits par T. Todorov, préf. de R. Jakobson), éd. du Seuil, 1965.

T. Todorov. — *Poétique* (Qu'est-ce que le structuralisme, II), éd. du Seuil, 1968. *Littérature et signification*, éd. Larousse, 1976.

T. Todorov, W. Empson, J. Cohen, G. Hartman, F. Rigolot. — *Sémantique de la poésie*, éd. du Seuil, 1979.

I. Tynianov. — *Le Vers lui-même* (Les problèmes du vers), Union générale d'éditions, 1977.

P. Valéry, *Œuvres*, éd. La Pléiade.

P. Verrier. — *Le Vers français. Formes primitives, développement, diffusion* (3 vol.), éd. Didier, 1931-1932.

R. Wellek., A. Warren. — *La Théorie littéraire*, éd. du Seuil, 1971.

P. Zumthor. — *Langue, texte, énigme*, éd. du Seuil, 1975. *Introduction à la poésie orale*, éd. du Seuil, 1983.

TABLE DES MATIÈRES

Aubin Imprimeur
LIGUGÉ, POITIERS

Achevé d'imprimer en septembre 1995
N° d'édition 10030386-(VI)-8-OSBV 80° / N° d'impression L 49860
Dépôt légal septembre 1995
Imprimé en France